梦想还是要有的

马云最新创业课堂

周锡冰 著

人民东方出版传媒
東方出版社

图书在版编目（CIP）数据

梦想还是要有的：马云最新创业课堂／周锡冰著．-北京：东方出版社，2014
ISBN 978-7-5060-7892-4

Ⅰ．①梦…　Ⅱ．①周…　Ⅲ．①电子商务-商业企业-企业管理-经验-中国　Ⅳ．①F724.6

中国版本图书馆 CIP 数据核字（2014）第 301823 号

梦想还是要有的：马云最新创业课堂
（MENGXIANG HAISHI YAO YOUDE：MAYUN ZUIXIN CHUANGYE KETANG）
周锡冰　著

策划编辑：李　斌　鲁艳芳
责任编辑：杨朝霞
出　　版：東方出版社
发　　行：人民东方出版传媒有限公司
地　　址：北京市东城区朝阳门内大街 192 号
邮政编码：100010
印　　刷：三河市金泰源印务有限公司
版　　次：2015 年 3 月第 1 版
印　　次：2015 年 5 月北京第 2 次印刷
开　　本：710 毫米×1000 毫米　1/16
印　　张：16
字　　数：236 千字
书　　号：ISBN 978-7-5060-7892-4
定　　价：32.00 元
发行电话：（010）64258117　64258115　64258112

推荐序

长尾、IT、互联网、关系、冒险、借势……这些关键词在过去几乎和“中国内地首富”这个名号根本扯不上任何关系。

然而，2014 年的中国内地首富改写了这个历史，这些关键词都得到了粉墨登场的机会，首次聚集在媒体的聚光灯下。当 2014 年中国内地首富最终尘埃落定时，这些关键词只剩下了最后两个——长尾和互联网。

而且，当答案揭晓时，我们发现这两个关键词属于同一个人，他就是被美国《福布斯》杂志的封面故事描写为“深凹的颧骨，扭曲的头发，淘气的露齿笑，一个 5 英尺高、100 磅重的顽童模样”的马云。

马云，1964 年 9 月 10 日出生于浙江省杭州市，祖籍浙江嵊州（原嵊县）谷来镇，阿里巴巴集团、淘宝网、支付宝创始人。

2014 年 8 月 28 日，根据彭博亿万富豪指数，50 岁的阿里巴巴集团创始人兼董事局主席马云已经拥有 218 亿美元的净资产，成为中国内地首富。

当马云成为中国内地首富的消息传遍世界各地时，为马云欢呼的人群中，有成千上万的淘宝店主和互联网从业人士。

可能读者会问，为马云欢呼的人怎么可能是淘宝店主呢？究其原因，马云充分地利用了互联网，毫不夸张地说，马云的胜利，就是互联网的胜利。由于马云有效地利用了长尾战略，从而开拓了一种全新的销售和购买模式，使得阿里巴巴成为长尾战略的实施者。

根据维基百科（Wikipedia）全书介绍，长尾这一概念是由《连线》（*wired*）杂志主编克里斯·安德森（Chris Anderson）在 2004 年 10 月的《长尾》一文中最早提出的，其目的是用来描述诸如亚马逊（Amazon）和

Netflix 之类网站的商业和经济模式。

安德森认为，长尾理论所讲述的是经济和文化正在从为数较少的主流产品和市场，向数量众多的狭窄市场转移的现象。由此，安德森发现，小众的产品也能同主流的产品一样，散发出辉煌业绩的经济魅力。例如，把那些在传统零售业中销售量不佳的小众产品全部聚集在一个宽广的渠道平台上，将能够与已有的大型主流市场相匹敌，甚至超过大型的主流市场。

长尾与在中国红透半边天的“蓝海战略”相比，对开辟一个更为宽广的新市场作出了更为精准的说明，并被时任 Google 首席执行官埃里克·施密特认为是掀开了一个新商业时代的序幕。

哈佛大学商学院资深副院长史蒂文·惠尔赖特（Steven C. Wheelwright）教授非常推崇克里斯·安德森，因为克里斯·安德森的长尾理论推动了一个时代。确实，长尾理论影响了整个华尔街，再从华尔街影响了诸多产业，同时也影响了中国的阿里巴巴公司的盈利模式。

从长尾理论的巨大作用可以看出，马云不仅为企业、淘宝店主、消费者提供了数以百万计的商品，同时还使得商品购买的成本大幅度降低，甚至有学者认为电子商务是零售模式的第四次革命。

反观历史，1852 年，百货商店波马舍（Le BonMarche）在法国开业以来，零售业已经经历过三次零售革命，现正在经历第四次零售革命。第一次零售革命是百货商店的诞生，第二次零售革命是 1859 年诞生的连锁模式，第三次零售革命是 1930 年产生的超级模式，第四次零售革命是当今的网上销售。这几次零售革命都转变了消费者的购买模式，重塑了当时的商业格局。可以肯定地说，新技术的运用无疑会激发零售业的发展，消费者的购买观念和行为也随之改变。

马云从 1999 年创立阿里巴巴至今，阿里巴巴已经成为在大中华地区、印度、日本、韩国、英国及美国的 70 多个城市拥有 20400 多名员工的国际化的互联网公司。截止到 2012 年 11 月，淘宝网和天猫平台本年度的交易额突破人民币 10000 亿元。

不仅如此，阿里巴巴服务于来自超过240个国家和地区的互联网用户，这几组数据足以看出阿里巴巴取得的巨大成就。

对此，该书作者高度评价了马云的创业精神、战略、企业家修为等，而且还介绍了马云在面对创业困境、经营理念、产品定位、融资方略、客户关系管理、人才使用与培养等企业经营的创业经验。

该书作者为此还撰文评价阿里巴巴说："在中国乃至全球互联网发展史上，阿里巴巴创始人马云值得浓墨重彩、大书特书，他不仅有效地运用长尾战略，成功地在美国上市，而且已经跻身于世界级互联网巨头的行列。"

在该书作者看来，阿里巴巴不仅是中国崛起的具体体现，更是当下的一个时代符号。当中国企业在美国股市遭遇多次黑榜时，2014年9月19日晚上，阿里巴巴正式在纽约证券交易所挂牌交易上市，从而改写了美国投资者的看法，阿里巴巴的股票价格确定为每股68美元，其股票当天开盘价为92.7美元，较发行价大涨36.32%。

事实证明，阿里巴巴的成功，其实是马云的成功。在这个伟大的时代，马云成为中国内地的首富，更是长尾理论的成功。

《商界》杂志资深作者　周云成

2014年11月28日

目　录

第一章
因为梦想，所以执着

对所有创业者来说，永远告诉自己一句话：从创业的第一天起，你每天要面对的是困难和失败，而不是成功。我最困难的时候还没有到，但有一天一定会到。困难不是不能躲避，不能让别人替你去扛。多年创业的经验告诉我，任何困难都必须你自己去面对。创业者就是面对困难。

——阿里巴巴创始人　马云

一、创业者最大的失败就是放弃

对于任何一个创业者而言，在创业的过程中并不缺乏商业机会，很多创业者成功的关键在于其是否能抵挡诱惑，始终如一地坚持下去。对此，马云说："阿里巴巴在路上发现小金子，如果不断捡起来，身上装满的时候就会走不动，永远到不了金矿的山顶；还是不管小金子直奔山顶。"在马云看来，要想创业成功，除了坚持，还是坚持，因为创业者最大的失败就是放弃。

创业者没有退路，最大的失败就是放弃

2014 年 9 月 19 日，这个日子对于阿里巴巴创始人马云及创业伙伴而言，是一个非常值得庆贺的日子，因为阿里巴巴正式登陆美国纽约证券交易所（New York Stock Exchange，NYSE），以 218 亿美元的融资额创造了美国股市历史上最大规模的 IPO（Initial Public Offering，首次公开发行股票）。

在这个别开生面的日子，马云和众高管来到美国纽约证券交易所现场观看了整个上市仪式，并邀请八名女性客户敲响了上市钟。

当阿里巴巴上市之后，马云成为中国内地的首富。据最新发布的彭博亿万富豪指数显示，阿里巴巴集团创始人兼董事局主席马云拥有 218 亿美元净资产，成为中国内地首富。位列第二的是腾讯创始人马化腾，拥有 163 亿美元净资产；排在第三的是百度创始人李彦宏，拥有 158 亿美元净资产。

当各种荣誉随之而来时，成为中国内地首富的马云并未得意忘形，他在美国纽约证券交易所接受媒体采访时坦言："15 年前，很多人都说我们

不会存活下去；可他们没想到，今天我们站在了这里。”

在马云看来，阿里巴巴之所以能够取得这样的业绩，还是源于他及创业者的坚持。马云说：“创业者没有退路，最大的失败就是放弃。很多人比我们聪明，很多人比我们努力，为什么我们成功了？难道是我们拥有了财富，而别人没有？当然不是。一个重要的原因是我们坚持下来了。”

在中国大陆地区，每天注册的企业数量在不断增加，同时每天也有无数的创业者因为没有坚持而失败。在创业之初，曾经有举不胜举的创业者豪言壮语、信誓旦旦地说：“在十年之内，我们的公司必须要进入中国民营 500 强。”然而，一旦在经营上遇到一点小小的挫折，就独自黯然神伤，甚至还后悔走上创业之路。

众所周知，万事开头难，创业也一样。要想将企业做强、做久、做大，坚持是一个必须具备的硬素质。马云也是如此。

在马云的创业生涯中，同样遇到了诸多困难。1992 年，马云创办海博（英文“hope”的音译）翻译社，开始了他的第一次创业历程。然而，海博翻译社的经营业绩却不佳，第一个月的营业收入还不到 600 元，却要支付 1600 元的房租。

这样的创业境遇无疑使得海博翻译社军心动摇。在海博翻译社面临生死存亡之际，马云坚持的性格凸显出来了，他跟他的搭档去义乌采购小礼品、鲜花、衣服、手电筒等小商品，在教书之余摆地摊，用这些额外收入维持公司的运营。在这样的艰苦中坚持了两年后，马云不仅让海博翻译社生存了下来，还让它声名鹊起，其影响之大超过了马云的预期。后来，马云回忆说：“我当时认为翻译社一定会有需求，应该能成功。”

就在马云创办海博翻译社之后不久，一个与杭州市政府合作的美国企业不遵守合同，一直没有向与杭州市政府合作的项目注入资金，杭州市政府决定，派一个英语口语较好的人去美国与该企业进行商务谈判。

由于海博翻译社的声誉较好，马云被杭州市政府选中了。不过，由于马云长得不帅，据说当时杭州市政府相关领导并不看好马云，但由于马云的口才和英语非常出色，于是他作为杭州市政府唯一的谈判代表去了美国。

据资料显示，让马云没有想到的是，与杭州市政府合作的那家美国企业其实是一个彻头彻尾的骗子公司。该企业把马云软禁起来，马云凭借自己的智慧跑了出来，并在美国接触了互联网。马云回国后，成立了中国黄页。

正是马云的坚持，才开启了他创业的辉煌征程。尽管马云后来退出中国黄页，但是这为他创办阿里巴巴打下了坚实的基础，也为他成为中国内地首富创造了条件。

永不放弃，要像乌龟一样有耐力

对于任何一个创业者而言，遇到困难是不可避免的。不过，在阿里巴巴创始人马云看来，遇到困难，除了坚持，还是坚持。因为坚持是创业者最好的应对各种困难的策略。马云说："我永远相信只要永不放弃，我们还是有机会的。最后，我们还是坚信一点，这世界上只要有梦想，只要不断努力，只要不断学习，不管你长得如何，不管是这样，还是那样，男人的长相往往和他的才华成反比。今天很残酷，明天更残酷，后天很美好，但绝对大部分人是死在明天晚上，所以每个人都应坚持下去。"

可能有读者会认为，资金才是创业者解决企业经营中诸多问题的最好办法，为什么马云认为是坚持呢？这个还源于马云的成长经历。

1982 年，对于普通的中国人来说，日子跟以前没有什么两样。然而，对于马云来说，是一个值得大书特书的年份，1982 年，马云在这一年开启了自己成为中国内地首富的人生之旅。

事情是这样的，1982 年，日后成为中国著名作家的路遥在文学杂志《收获》上发表了一篇名为《人生》的小说作品。此刻，正值改革开放初期，瘦小的马云在杭州火车站的一个角落利用休息时间一口气读完了《人生》这篇小说。

1982 年，马云正好 18 岁，从蹬三轮车的临时工刚刚升格为收发信件的助理，其实，依旧是一名临时工。当读完《人生》这篇小说后，马云受到激励，毅然参加了他的第二次高考，由于数学只考了 19 分，马云再次名落孙山。1983 年，马云参加了第三次高考，顺利考上大学。

在此之前，马云历经多次失败：高考复读班嫌马云影响升学率，婉拒他复读；马云梦想当兵，结果身高体重不达标；马云报考警校，由于自身原因不够被拒绝；和小伙伴们一起去肯德基面试，20 多个人全录取了，只有马云被拒绝……因此，马云告诫创业者说："九年创业的经验告诉我，任何困难都必须由你自己去面对。"

不可否认，面对困难，最好的应对策略就是坚持。在特别节目《在路上——马云与中国 80 后的对话》的现场，一位观众问马云的座右铭是什么。

马云的答案是"永不放弃"，其中一个叫作"从陪梦"的创业者问了马云一个问题："马总您好！您对我们 80 后产生了深远的影响。现在，我发现我身上不乏创业的激情，从自身讲这种激情也让我坐立不安，急切地希望成功。对于作为刚刚毕业的我们，不足 10% 的创业成功率让我们惶惑。您觉得我们应该做哪些规划才能提高成功率？这种激情是否应该遏制？"

面对网友的困惑，马云回答说："创业其实是很艰辛的。我一方面鼓励大家创业，另一方面我想告诉大家一个很现实的问题：100 个人创业 95 个人死掉，你连声音都没听见，你根本不知道这 95 个人存在过。还有四个人，你是看着他们死的。剩下这一个人，这个人很勤奋但未必是最勤奋的，这个人很努力很聪明，但未必是最聪明的。有很多的机缘、有很多的因素使得他成功。"

马云告诫创业者说："创业者要永远去想，我是为五年以后十年以后创业，不是为今天。假如你觉得创业是为了今天，因为别人这个事情今天做得好，所以你也去做，你的成功率就很低。所以很多时候，我希望大家既要有激情更要有耐性。刚刚创业的时候，我就跟我自己和我的团队说，我们既要有兔子一样的速度，更要有乌龟一样的耐力。"

坚持，坚持，永不放弃

在创业的道路上，最痛苦的是坚持，而最快乐的也是坚持。马云曾经说过："在创业的道路上，我们没有退路，最大的失败就是放弃。"

这样的创业感悟源于马云的成长经历，马云的创业道路与他的英语有着重大的关系。1988 年，马云毕业于杭州师范学院英语专业，之后，任教于杭州电子工业学院。1991 年，马云成立海博翻译社。

可能读者会问，马云是如何与英语结缘的呢？这还得从马云上中学时说起。据说，教授马云地理的女老师讲课风格非常独特，也很活泼，经常给同学们讲她自己的一些经历和故事。

在一次地理课上，这位女老师讲了一件事情，这件事情影响了马云，使马云受益终身。

她告诉同学们，她曾经在杭州西湖边遇见几个来中国旅游的外国人，他们询问她一些关于中国地理的问题。由于她英语口语较好，与这几个咨询问题的外国人交谈非常顺畅，给他们留下了好印象。

最后，这位地理老师向同学们总结道：作为中国人，不仅要学好中国地理，更要学好英语这门课程，不然一旦有外国人问起时，可能会丢中国人的脸。

这位地理老师的话使马云茅塞顿开，从那以后，马云加倍学习英语，同时也开启了他的另一个人生。据说，马云上完那节地理课后，回到家中，不惜花六角多钱购买了一个收音机，每天坚持不懈地听英文广播，目的就是要学好英语。那一年，马云刚满 12 岁。

在如今的时代，12 岁听英语广播已经算不得什么，但是在当时，改革开放才刚刚开始，一个孩子 12 岁积极学习英语无疑是破天荒的事情。

在学习英语的途中，马云遇到了非常多的困难，但是凭借他坚持的性格，终于克服了重重困难。

为了练好一口流利的英语，马云经常到西湖边外国人较多的地方与他们用英语交谈，其目的就是和外国人练习英语口语；当然，偶尔也给外国人当一下英语导游。就这样，不管刮风下雨，只要有机会，马云就会去找外国人练习英语口语。

功夫不负有心人，马云的英语口语渐渐地流利起来，让他的老师和同学们都吃惊不小，甚至连外国人都以为马云是一个“名副其实”的归国小华侨。尽管马云没有出国经历，但他却用自己的方法练就了一口纯正、流利的英语口语，甚至在上了大学之后的几年里，他还坚持到宾馆门口跟外国人用英语口语交流。

这个故事看似简单却蕴藏了马云创业成功的基因——坚持和永不放弃。学英语磨炼了马云的意志，当机遇来临时，这种创业能力就显现出来。所以，一个人的成功并不是很随便的，这个基因，在小时就已经种下了。鲁迅说童年的生活就是将来的命运，大概说的就是这样一个道理。[①]

在很多公开场合下，马云都在强调：“在创业的道路上，我们没有退路，最大的失败就是放弃。”因为坚持可以提升创业成功的几率。在创业的过程中会面临各种困难，创业者放弃的几率非常大。马云说：“在我刚开始创业的那个时候，有人说如果阿里巴巴能够成功，无疑是把一艘万吨巨轮从喜马拉雅山脚下抬到珠穆朗玛峰顶，我就要让他们看看我是如何把这艘万吨巨轮从珠穆朗玛峰顶抬到山脚下。”这样的感悟都是源自马云成长中的诸多经历。

① 佚名：《兴趣和爱好是创业的最伟大的基因》，2014 年，见 http：//blog.sina.com.cn/s/blog_56eb6fe80100meh5.html。

二、一直坚持，不放弃就有机会

在互联网、首富等诸多词汇的映衬下，创业再次成为媒体的聚焦点。很多人都想创业，却似乎又有一个不创业的理由："我没有钱，我要是有钱的话，就会怎么怎么样……"在这些创业者看来，只要有足够的创业资金，一定就能创业成功。然而，在马云看来，创业资金不多也同样可以创业成功，关键在于坚持，不放弃就有机会。

要成功就永远不要放弃

在一个访谈节目中，观众问马云："您认为成功是什么？"

马云回答："我不知道成功是什么，但知道失败是什么，失败就是放弃。要成功就永远不要放弃。基本上我每次一有成功的感觉时就倒霉了。只有当我七八十岁时，回忆过去才知道自己哪里做错了或是怎样。"

正如马云自己所言："马云讲的东西不一定是对的，但却是我所坚信不疑的；有些人讲的东西都是对的，但也许连他自己都不相信！"

的确，在创业的道路上，每个成功的创业者都有自己的一套经验，不过，坚持始终是一个共同的特质。正如马云所说："创业者必须一直坚持，不放弃就有机会。"

事实证明，正是马云的坚持，才使他成为中国内地的首富。可能读者并不认可这样的观点，在这里，我们来看看马云在公开场合所讲述的第一次创业经历。

我自己创办过好多公司，第一家公司是1992年创办的海博翻译社，当时我们的条件非常艰苦，因为我学英文，很多人叫我做英文翻译，但是我没有那么多时间。我的老师、同学英文很好，他们的英文都没有用上，我又没有时间做，我想如果有人找我做的话，我就找他们做。

当时我的想法是觉得应该会挣钱，我是筹资了，跟我的同事一起筹集了3000元人民币，后来我们租了一个房子，没想到一个月的房租是1600元。但我们注册的资本是3000元，我们满怀信心地做这个行业，想法很好，但是做的过程当中第一个月的营业额大概600元不到，但房租是1600元，还不包括工资。第一个月亏得一塌糊涂，但是我还是坚信能够做下去。我想告诉大家也许我们原计划是可以盈利的，但是有的时候不是这样的。

后来我们发现义乌卖鲜花、卖礼品可以赚钱，所以我就跟我的搭档——我的搭档是铁路上干活的——然后我们俩坐火车去进货，拿来以后放过来。我们把我们的房间一分为二，后来我们发现卖礼品可以卖三四千块钱，但是翻译社就四五百块钱，然后我的同事讲我们开礼品店，也许我们将来会成立一个礼品公司，所以我们问自己这个问题，当时成立这个翻译社是为了挣钱还是为了解决翻译需求和那些老师的问题，我个人认为是解决老师和市场上的需求。可赚钱的项目很多很多，礼品未必是最好赚钱的，我们开礼品店的目的是为了养翻译社，我们中间产生了很大的分歧，我的同事就认为反正是创业只要赚钱就算了，很多的时候就存在这样的问题。[1]

在马云的第一次创业创办海博翻译社时，遇到了创业者都普遍存在的一个问题——只要赚钱，选择任何行业都无关紧要。然而，马云却坚持做翻译，正是马云的坚持，才赢得了杭州市政府的认可，马云的美国之旅才

① 马云：《马云创业故事之一：海博翻译社与义乌鲜花》，2014年8月，见http://nmlabs.net/teach/1331.html。

成为可能，否则，马云也不可能那么快就会选择互联网作为创业项目。

不可否认，在创业的道路上，没有如果，只有坚持不懈地努力和奋斗。在马云看来，创业者每天都在解决企业中的问题。

创业者只有未来，没有昨天

对于那些即将创业或者正在创业的人来说，创业是一个艰辛的历程，无疑困难重重，但是，想要创业成功，必须要有“永不放弃”的坚定信念，否则会半途而废。

在中国大陆地区，提及300年的家族企业，不得不提乐显扬创建于清朝康熙八年（1669年）的同仁堂，自创办到公私合营，其经营时间大约300年，传承十代。

同仁堂的案例表明，饱经沧桑的家族企业，比如，乐家及同仁堂至少有上百年时间处于常常遭遇经营困境的情况。由于家族企业创始人及其继承者的坚持和本身的优势，才使得同仁堂这个家族企业能够坚挺地活下来。

再如，创业于明朝永乐十四年（1416年），至今已有近600年历史的便宜坊。又如，创建于1436年的六必居，成为全国酱腌菜行业中规模最大的企业。这组数据给我们的启示是：要想创业成功，必须要有“永不放弃”的决心和勇气。

在21世纪的今天，很多企业同样面临诸多问题，例如，在2011年，由于金融危机的影响，成千上万的中小企业面临资金供给紧张、融资成本快速上涨、出口受阻、原材料价格上涨、劳动力成本上升等多种难题，这些问题让众多中小企业陷入成长和发展的困境。

面对困境，中小型企业应该如何生存？马云的回答是：“其实每一个创业者都有很痛苦的经历，无论是20世纪60年代的人创业，还是70年代的人创业，或者80年代的人创业，每一阶段都有痛苦。但是有一点，无论怎么痛苦，既然你选择了创业，就必须明白创业者只有坚持走下去，才有出路可言。”

在马云看来，阿里巴巴与任何一个中小企业一样都面临过困难。在1999年、2000年、2001年的时候，阿里巴巴同样也曾面临发不出工资的困境，当时他们没有什么收入，但仍要活下去，马云告诉自己和他的员工们，就是半跪着也要坚持，坚持到底就是胜利。①

事实上，许多创业者之所以能够取得成功，是因为贵在坚持，在困难和挫折面前，创业者需要解决的不仅是融资问题、管理问题、人才问题，更需要的是坚持的决心和毅力。然而，成千上万的创业者在创业过程中都跌倒在挫折和困难的失败深渊中，从此一蹶不振。

不过，在马云看来，在创业路上，一旦遭遇打击，只要创业者能够“扛过来，就会变得更加坚强。而当你的抗打击能力强了，真正的信心也就有了”。正是基于这样的理解，马云在很多场合下都告诫创业者要有永不放弃的精神，这也是马云显得与众不同的一个地方。

对此，马云说：“所谓的毅力就是你期望的最好是失败，你不要寄希望于自己成功。这个可能跟大家的想法都不一样，我觉得对我来讲，从第一天创业到现在为止，我经常提醒自己这句话，就是我创业是为了经历，而不是为了结果。人的结果都是差不多的，都要去一个地方，就是火葬场。”

事实证明，只要创业者勇于坚持，通常都会创业成功。一般来说，创业者在创业时都有一个美好的愿景。当真正地在其过程中遭遇经营困难时，当初的愿景可能被怀疑，甚至质疑其可行性。因此，马云建议创业者：要让自己明白，一时的失败千万不要气馁，应该照着自己的理想一路走下去。成功是由很多因素促成的，努力并不一定会成功，但如果不努力，就一定会失败。②

① ② 佚名：《马云谈创业：不要寄希望成功》，2014年，见http：//www.bosshr.com/shownews_32428.html。

坚持到底就是胜利

在创业的道路上，没有哪一条路是一帆风顺的，都必须经历“九九八十一难”，如同唐僧师徒四人西天取经一样，只有经历过创业的挫折，才有可能历练出企业家的经营才能。“企业家”一词是从法语中借来的，其原意是指“冒险事业的经营者或组织者”，是指企业中能独立自主地作出经营决策并承担经营风险的人。其既是生产的组织者、领导者，又是市场交易中的经营者，通常为大公司的董事长、总经理。

从这个定义可以看出，企业家的特质是敢于冒险，既然是冒险，就必须具备坚持到底的品质，否则无从谈起。正如马云所说：“黎明前的黑暗是最难挨的。”

对于正在创业，或者即将创业的人来说，要想成功创业，享受阳光普照，就必须在之前的黑暗中顽强挺住，就要像马云那样认准目标、坚持到底、永不放弃；即使遇到一千次一万次困难也不放弃追求，不言失败、不退缩、不向命运屈服，如果能做到这点，那么你就可能会成为下一个马云。

马云为此告诫创业者说：“我不知道成功是什么，但知道失败是什么，失败就是放弃。”

马云的告诫并非一时兴起，而是自己创业经验的总结。在马云的创业经验中，“永不放弃”被多次提及。在马云看来，“有时候死扛下去就会有机会”，正是因为他的“永不放弃”，使他不仅成为中国内地的首富，也是阿里巴巴取得成功的一个重要原因。

可以说，马云的创业历程就是“永不放弃”的最好体现。从创办海博翻译社开始到1995年，作为大学教师的马云辞去公职，正式下海创办中国黄页；从被迫离开中国黄页，到创办阿里巴巴；从引进风险投资，到香港上市；从香港退市，到美国纽约上市……

马云凭借“永不放弃”的精神，创造了阿里巴巴今日的辉煌成就，期间遭遇的难以计数的挫折、困难，只有他自己才能体会到。

1999 年 3 月，阿里巴巴成立时，马云对“十八罗汉”（18 个创始人）说：“即使是泰森把我打倒，只要我不死，我就会跳起来继续战斗！”

2002 年，网络泡沫破灭，之后整个互联网进入“最寒冷的冬天”，马云鼓励阿里巴巴员工要“跪着过冬”，坚持下去，等待“春天”的到来。马云说：“中国网站六个月之内有 80% 会死掉，就像新经济，有 70% 的想法要扔掉，只有 30% 能实现下去。这时你跟竞争者拼的是谁能活着，谁能专注。不管多苦多累，哪怕是半跪在地上也得跪在那儿。跪着过冬，就是你站不住了也得跪着，不要躺下，不要倒。坚持到底就是胜利。”

经过一段时间的坚持，阿里巴巴不仅奇迹般地熬过了互联网“最寒冷的冬天”，成功地活了下来，而且还实现了盈利。

在马云看来，只要创业者选择了创业这条路，就必须一直坚持下去。暂时的失败不代表永远的失利，一时的成功也不表示将来的成功。只有树立远大理想，并在理想的道路上坚持下去，才能获得最大的成功。①

对此，马云告诫创业者说：“你想成功吗？那就坚持吧，为自己的目标而坚持，每个人都可以更强大，只要他懂得什么是坚持，忍别人所不能忍，这样你就迈出了成功的一大步，在做人做事上就没有什么可以难倒你的！”

三、像坚持初恋一样坚持梦想

对于任何一个创业者而言，只有拥有梦想，才能无所畏惧。马云告诫创业者说：“强烈的意愿，像坚持初恋一样坚持梦想。”

① 搜狐商学院：《马云创业经：公司就像结婚一样》，2011 年 12 月 26 日，见 http：//bschool.sohu.com/n330245413.shtml。

在马云看来，坚持当初的创业梦想，其成功创业的几率更大。2005年12月24日平安夜，在“阿里巴巴社区大会”上，马云告诫众多创业者说：“初恋是最美好的，每个人第一次恋爱最容易记住，每个人初次创业时候的理想是最好的，但是走着走着就找不到这条路在哪里了，其实你的第一个梦想是最美好的东西……2001年网络泡沫破灭时，那三十几家公司，我记得现在全部关门了，只有我们一家还活着。我们是坚持初恋的人，我们是坚持梦想的人，所以能走到今天。”

马云的告诫给创业者的启示是，对于那些正在创业或者准备创业的人而言，“首先要搞清楚，自己是否具有强烈的创业意愿，是否能始终坚持自己的梦想。如果这两个问题的答案不明确，如果自己创业的意愿不够强烈，那么最好就别创业了，因为打从创业的第一天开始，每天就会与‘挫折’为伍，与‘困难’为伴，要坚持下去，就需要你有矢志不移的强烈意愿”①。

梦想未必要很大，但一定要真实

对于任何一个人而言，梦想就如同一座灯塔，指引和照亮人生的正确方向。作为狂奔在创业之路上的创业者而言，梦想也同样存在。对此，马云在多个场合下告诫创业者说：“在创业之前，创业者首先要有一个梦想，这很重要。你没有梦的话，为做而做，别人让你做是做不好的。第二要有毅力，没有毅力也做不好。”

2011年3月，在中央电视台财经频道《对手》特别节目《创业——我们的故事》中，作为阿里巴巴创始人的马云不仅介绍了自己的创业故事，还发表了很多对创业的看法。

在马云看来，作为一名合格的创业者，一定是一位乐观主义者，较为

① 任雪峰：《我的成功不是偶然：马云给年轻人的创业课》，中国画报出版社2010年版，第2—4页。

悲观的创业者是不可能创业成功的。

马云认为，作为创业者不仅要有创业梦想，且梦想一定要真实。在提到自己当初的创业梦想时，马云说："央视有个节目叫《对话》，他们给我做了期访谈，给那期节目起名字叫'狂人马云'，结果后来每个人都说马云很狂。最后他们得出了个结论——'创业就要狂妄一点'。但是我并不觉得我们狂妄，只是我们要做的事情绝大多数人还不能接受而已。"

在马云看来，"创业就要狂妄一点"其实是媒体的误读。由于很多创业者自身创业的目的不同，其结果也可能有巨大差距。马云坦言，他创业的目的就是为了让自己的生活有所改变。

马云说："当年我的领导对我说，'马云，好好干。再过一年你就有煤气瓶可以发了，再过两三年你就可能有房子了，再过五年你就能评副教授了'，于是我在他身上看见了我以后的样子——每天骑着自行车，去拿牛奶、买菜。我当然不是说这种生活不好，只是希望换一种方式。等到在创业的路上越走越远的时候，我发现自己的梦想越来越大，也越来越现实。每个人都有梦想，梦想未必要很大，但一定要真实。"

马云告诫创业者说："很多创业者或者做企业的人，上来就把自己放在一个很高的高度，张嘴就谈什么文化啊民族啊，说自己不是为了赚钱而创业。其实大家别把钱看得太轻，如果没有钱你创什么业，创业不为了赚钱你干什么？"

在马云看来，创业者必须实事求是，摆正创业的目的和盈利的位置。马云说："创业不是为了赚钱，而是创业的结果让创业者得到了很多钱。钱是资源，赚钱的目的不是为了自己的生活更好，是为了帮助更多的客户，服务别人，帮助别人。"

在创业的道路上，对于任何一个创业者而言，梦想未必要很大，但一定要真实。马云说："创业不是创业者一个人的事，而要有明确的目标和团队。一个人的时候只要自己吃饱喝足就行，而当上了领导就不能只顾自己。当一个创业者开始管一批人的时候，全体员工的成功和客户的成功才是创业者的成功。"

永远不要忘记自己第一天的梦想

在创业的道路上，面对众多的经营机会，创业者往往在日后的经营中忘记了自己第一天的梦想。对此，马云告诫创业者说："放弃是很容易的，但我们决不会放弃我们第一天的梦想。"

在马云看来，只要不忘记自己第一天的梦想，始终沿着最初的目标走下去，你所能取得的成就就会越来越大，即使会碰到许多困难和挑战，也决不要放弃，成功就在不远处。

在很多场合，马云都说过他成功创业的原因，其中第一个就是"梦想"。因为有梦想，所以才能坚持；因为一直没有忘记第一天的梦想，所以才能一直保持稳健的步伐。①

实践证明，但凡世界上一切触手可及的，都是梦想成真的结果。创业者如果没有梦想，那么对创业者来说其创业成功的可能性就很小。

马云在公开场合说："怎么做企业，做企业到底什么最核心？我认为做企业首先要有伟大的梦想，要有伟大的使命。我们这几年有伟大的使命，我们的使命是阿里巴巴让天下没有难做的生意。"

事情是这样的，2001 年，在美国的纽约，马云受邀参加了时任美国总统克林顿的早餐会。在此次早餐会上，马云与克林顿总统进行了交谈。

在交谈中，克林顿总统介绍了美国的军事和政治，他说："美国无论是经济还是政治、军事在全世界都是一流的，没有可以模仿和借鉴的对象，那么美国到底应该怎么走？作为美国总统该把这个国家往哪儿带？依靠什么力量引导美国前进呢？答案很简单，是使命感引导美国向前走。"

克林顿总统的话让马云醍醐灌顶。在马云看来，一流的公司不应该是

① 金融界：《马云：花别人钱要比花自己的更痛苦》，2014 年，见 http://finance.jrj.com.cn/biz/2011/12/19111611863694-1.shtml。

他人的复制品，所以阿里巴巴也要跟着使命感走！究其原因，是中国成千上万的互联网公司可以模仿雅虎、美国在线、亚马逊、阿里巴巴等公司，然而，阿里巴巴已经没有模仿对象了。

在这样的背景下，马云进一步确立了阿里巴巴公司的使命感——“让天下没有难做的生意”。

当“让天下没有难做的生意”作为阿里巴巴的使命感之后，马云为此还制定了自己独特的价值观。在阿里巴巴，价值观是决定一切的准绳，比如，“招聘何种员工”“如何培养员工”“怎样考核员工”等都必须坚决彻底地贯彻这一原则。

2003年，阿里巴巴在B2B领域已经成为隐形冠军。如何发展下去成为马云亟须解决的问题，尤其当他站在第一的位置没有参照时。马云正是凭着强烈的使命感——“让天下没有难做的生意”作出一系列指引阿里巴巴发展方向的决定。

在阿里巴巴，做任何事情都必须围绕“让天下没有难做的生意”这个使命，任何违背这个使命的事情阿里巴巴都不会做。2004年，马云给阿里巴巴重新确定了公司目标——第一是做102年的公司；第二是做世界十大网站之一；第三是“只要是商人，一定要用阿里巴巴”。

众所周知，企业使命感是由企业所肩负的使命而产生的一种经营原动力。使命也就是做事情最深层次的目的。[①]因此，马云在很多企业家进入房地产时，依然坚持电子商务。

当面对“为什么阿里巴巴当时选择了电子商务，而不是当时其他人所看好的赚钱方式”的提问时，马云的回答很简单，他说：

> 只有电子商务才能改变中国未来的经济，我坚信人们进入信息时代以后中国完全有可能进入世界一流的国家，无论是政治、

① 朱甫：《马云如是说——中国顶级CEO的商道真经》，海天出版社2011年版，第18页。

经济、军事还是文化。

阿里巴巴成立的时候我说过，我们相信中国一定能进入WTO，而中国的腾飞又是以中小企业的发展为基础的，我们用IT武装他们，帮助他们腾飞，也帮助自己腾飞，公司也能赚钱。阿里巴巴的使命就是“让天下没有难做的生意”，让客户挣钱，帮助他们省钱，帮助他们管理员工。

我们在做每一个决定之前，都会考虑到怎样去做才会使客户的利益更大化。

我们提出“让天下没有难做的生意”以后，我们就把这个作为阿里巴巴推出任何服务和产品的唯一标准。我们的工程师和产品设计师把我们的产品设计得非常简单，以便让客户更容易操作，我们把麻烦留给自己，这就是使命感的驱动。

在马云看来，电子商务才是阿里巴巴的主业。每个创业者第一天创业的梦想都是最美丽的。阿里巴巴第一天的创业梦想就是要成为全球十大网站之一，让全世界每个商人都用阿里巴巴！正因如此，在2005年8月阿里巴巴收购雅虎中国后，马云对雅虎中国进行了一系列的整合，将其业务重点重新转向了搜索领域。① 对此，马云说：“人不能沉浸在自己所谓的成功里面，永远不要忘记自己第一天的梦想，你的梦想是世界上最伟大的事情，不能走到后面以后又改回来。”

创业者应坚持自己的梦想

在很多场合，马云告诫创业者说：“只要你敢于梦想，一切皆有可能。”在马云看来，只有创业者有梦想，特别是在创业时一定要坚持自己

① 金融界：《马云：花别人钱要比花自己的更痛苦》，2014年，见http：//finance.jrj.com.cn/biz/2011/12/19111611863694-1.shtml。

的梦想，这样创业成功的几率才可能较高。马云说："初恋总是美好的，但是人们往往会遗忘初恋。"

对此，马云告诫创业者，创业后一定要多多回忆当初创业的初衷，要想想自己当初创业时为什么要做，创业要做什么，只有时刻反思才能做好。[①]马云说："1995年，我发现互联网有一天会改变人类，可以影响人类的方方面面，它到底该怎么样影响人类？这些问题我在1995年没有想清楚，但是隐隐约约感觉到这是将来我想干的。我请了24个朋友到我家里，大家坐在一起，我说我准备从大学里辞职，要做一个互联网，我花了将近两个小时来说服24个人，两个小时以后，大家投票表决，23个人反对，一个人支持。但是我经过一个晚上的思考，第二天早上我决定还是辞职去实现我的梦想。"

"我发现今天我回过来想，我看见很多游学的年轻人是晚上想想千条路，早上起来走原路。晚上出门之前说明天我将干这个事，第二天早上仍旧走自己原来的路线。如果你不去采取行动，不给自己梦想一个实践的机会，你永远没有机会。所以我稀里糊涂地走上了创业之路。"

在马云看来，创业者要想成功，前提是创业者要先有梦想，才能实现梦想。时间回到20世纪90年代，华夏大地上总能见到热血沸腾奔赴创业大潮的青年才俊。这些人中，有国家干部、转业军人，也有国家教师，马云就是他们当中的一个。然而，一帆风顺、小有成就的、刚过而立之年的马云不仅有着更好的发展途径，而且还是杭州市"十大杰出青年教师"之一、学校驻外办事处的主任。

然而，在1995年，马云因公出访美国时首次接触到互联网，回国后决定创办网站——中国黄页。于是，马云坚定地走进了校长的办公室，辞职创业去了。

校长被马云的举动震惊了，在震惊之余还是极力地挽留马云。在挽留

① 马云：《努力面对今天，要给梦想机会》，2014年，见http：//www.3lian.com/zl/2010/08-23/20767.html。

无果的情况下，校长给马云留下了一条后路：“你什么时候想要回来，这里永远都欢迎你！”

就这样，追逐梦想的马云，放弃了在学校中所有的地位、身份和良好的待遇，毅然决然地告别了朝夕相伴的校园，踏上了追逐梦想的征途。[①]

开始创业的马云跟其他创业者一样，时常遭遇挫折，甚至马云自己觉得反正已经很倒霉，这个不成，那个也不成，那么再倒霉十年也无所谓了，毅力很重要。

经过一番思索，马云依然坚持梦想，继续前行。事实证明，创业的过程其实就是“追逐梦想”的过程。反观马云的创业历程，其实就是一个不停地追逐着一个又一个梦想的过程，我们的创业者还在等什么？拿出你的勇气，开始追梦吧！创业是追寻自己梦想的征途。但是，只有梦想是不够的，还要有把梦想变成现实的能力。[②]

① 冯雷钢：《和马云一起创业》，中国工人出版社 2008 年版，第 5 页。

② 冯雷钢：《和马云一起创业》，中国工人出版社 2008 年版，第 7 页。

第二章

持久激情才能坚持到终点

我觉得你的激情也不错，我的建议是短暂的激情是不值钱的，只有持久的激情才是赚钱的，而激情不能受伤害。

——阿里巴巴创始人　马云

一、创业者要有吃苦 20 年的心理准备

对于任何一个创业者而言，每天都可能面对困难和失败，要想创业成功，除了要具备积极乐观的心态，还要有持久的激情。因为只有创业者积极向上的创业心态，才有可能解决创业之路上的困难。因此，马云说："创业者要有吃苦 20 年的心理准备。他要想好未来的路怎么走，未来的路上有什么挫折。"

创业者就是要面对困难

在马云看来，创业不仅需要激情，同时也需要耐心。马云说："你坚持到底，为未来而创业，不是为今天而创业，你就会心情平淡，做事也会方便多了。"

的确，在创业的过程中，充满激情可以应对各种挫折和困难。马云说："从创业的第一天起，你每天要面对的是困难和失败，而不是成功。我最困难的时候还没有到来，但有一天一定会到来。困难不能躲避，不能让别人替你去扛。"

在马云看来，创业者遭遇困难是不可避免的。纵观马云的创业历程就不难发现，马云在创业初期同样也遭遇过诸多困难。创办中国黄页时，马云租用位于美国西雅图的服务器，一旦有企业要登记业务时，马云就将企业资料翻译成英文邮寄到美国西雅图，让美国合作者将其发布到网站上，再把制作好的主页用彩色喷墨打印机打印出来，寄回杭州。之后，员工再拿着打印件去企业收取相关费用。一旦企业质疑，马云团队就把主页的网址和美国的电话号码给该企业，以便企业经营者查询。如果查到该企业信息，就收取相关费用；如果没有，就不收取一分钱。当时每个主页的收费

标准是两三万元。

据马云介绍，中国黄页是当时中国大陆地区第一个商业网站，也是互联网上第一个中国大陆地区的商业网页。由于中国黄页是新生事物，再加上互联网鲜为人知，绝大多数企业没听说过互联网，更不要说在互联网上投入广告费了，中国黄页陷入经营困境。

在这样的困境中，马云的创业激情被激发出来，由于没有更多的资金打广告，他就一家一家地演示游说。那时候，马云为了宣传互联网，从不放过任何机会，也不管时间和地点。一位朋友曾在杭州的大排档里见到马云，据说当时马云喝得有点醉，手舞足蹈，向身边的市民大侃互联网。马云像着了魔一般宣讲互联网，遇人便说，逢人就讲。一家家公司，一家家企业扫过去，向他们推销互联网，推销中国黄页。现在看来马云当时的角色，他简直就是一个狂热的义务宣传员和疯狂的推销员。①

经过一系列宣传，马云的激情介绍有了回报，终于有一家民营衬衫厂愿意做互联网广告，尽管只有区区两万元，但是却让马云等三个中国黄页的创始人看到了希望。在创业时，马云凭借激情，不管创业多么艰难，他从来没有害怕过困难与失败。

创业者要有长期吃苦的心理准备

在中国，英雄从来不问出处。《孟子》一书中就谈道："舜发于畎亩之中，傅说举于版筑之中，胶鬲举于鱼盐之中，管夷吾举于士，孙叔敖举于海，百里奚举于市。"

当然，要想在芸芸众生中脱颖而出，就必须要有吃苦的心理准备。《孟子》一书中就谈道："故天将降大任于是人也，必先苦其心志，劳其筋骨，饿其体肤，空乏其身，行拂乱其所为，所以动心忍性，曾益其所

① 海华：《马云教典：成就阿里巴巴帝国的36个法则》，华中科技大学出版社2009年版，第15页。

不能。”

在孟子看来，吃苦是成功的必要条件，这个道理也适用于创业。对此，马云告诫创业者说：“创业者要有吃苦20年的心理准备，他要想好未来的路怎么走，未来的路上有什么挫折，我不想安慰谁，现实确实就是这样。”

马云为此举例说：

> 我把自己称作一个盲人骑在一个瞎的老虎上面，所以根本不明白将来会怎么样，但是我坚信，我相信互联网将会对人类社会有很大的贡献。1995年，当时不太有人相信互联网，也不觉得有这么个互联网对人类有这么大的贡献，所以我用了比尔·盖茨的名字。我说比尔·盖茨说，互联网将改变人类的方方面面。结果很多媒体就把这个事登了出来，事实上这句话是我说的，1995年比尔·盖茨还反对互联网。
>
> 有了一个理想以后，我觉得最重要的是给自己一个承诺，承诺自己要把这件事做出来。很多创业者都在想这个条件不够，那个条件没有，这个条件也不具备，该怎么办？我觉得创业者最重要的是创造条件。如果机会都成熟的话，一定轮不到我们。你坚信这事情能够做起来的时候，给自己一个承诺说我准备干五年，我准备干十年，干20年，把它干出来。我相信你就会走得很久。

在马云看来，要想成功创业，就必须吃苦，正如马云所言：“创业者要懂得左手温暖右手，要懂得把痛苦当作快乐，去欣赏，去体味，才会成功。认识创业是富有激情的，选择创业是豪情激扬的，坚持创业是残酷无情的，走到最后则需要不能磨灭的梦想、持之以恒的激情和脚踏实地的坚持不懈，今天和明天的残酷换来的将是后天的美好。”

马云坦言，年轻创业者大都缺少吃苦的精神，难成大器，他们虽有锋芒，却缺乏磨砺。马云的每一次创业历程都十分艰苦。1995年，马云开始了第二次创业，创业项目是中国黄页。由于中国黄页是中国大陆创办的第一家网站，没有任何经验可以借鉴，因而这个网站极其粗糙。

研究发现，创办中国黄页这个网站主要是因为马云一次到美国的经历。在1995年年初，马云被邀请参观了位于美国西雅图的一个网络公司。

而正是这次参观，马云见识了互联网的神奇，敏锐的马云也马上意识到互联网的巨大发展前景。马云回国后，决定投身互联网，于是创办了中国黄页。

在中国黄页创办初期，没有什么启动资金，所有的资金只有6000元，经营困难重重。

在急需创业资金的情况下，马云变卖了海博翻译社的办公家具，跟亲戚朋友四处借钱，这才凑够了八万元，再加上两个朋友的投资，一共才十万元。[①]

尽管筹集了十万元创业资金，但是每一分钱都必须用在刀刃上。于是，马云创业团队只租了一间办公室，仅购买了一台电脑，他们是一块钱一块钱地数着花。

对于中国黄页来说，创办初期，资金是最大的问题。由于开支大，业务又少，最凄惨的时候，公司银行账户上只有200元。但是马云以他不屈不挠的精神，克服了种种困难，把营业额从0做到了几百万元。[②]

此后，在公开场合回忆谈到这段经历时，马云说，要想创业，创业者要有吃苦20年的心理准备。马云在“西湖论剑”上多次告诫创业者“对所有创业者来说，永远告诉自己一句话：从创业的第一天起，你每天要面对的是困难和失败，而不是成功”。

从马云的创业经历来看，“只要肯吃苦，满地都是金子”。事实上，对于那些创业者来说，最后创业成功的人，大都是能吃苦的人。在发达国家

① 佚名：《阿里巴巴马云：没钱一样创业》，2009年8月，见http：//www.wabei.cn/news/262418.html。

② 赵文锴：《马云创业真经》，中国经济出版社2011年版，第9—11页。

与新兴市场中，大部分的公司是以家族企业起家。他们凭着企业家的愿景与精力，从创业之初的筚路蓝缕，蜕变成各自领域中的主力。

这种情形不单在新兴市场中屡见不鲜，就像马云在创业的途中，“凭着这股不怕吃亏、吃苦耐劳的傻劲”的吃苦精神，创造了阿里巴巴无与伦比的神话。事实上，创业者一般都具有吃苦耐劳、节俭朴素的性格特点，这些都是对企业的发展有着十分有利的因素。因此。马云告诫创业者说：“我不是一个轻易放弃的人，我蛮相信，只要没搞死我，我会越战越强。今天我不是马云，马云只是代表这一代的人，新的企业家、新的创业的人，我们倡导的一种新的精神。”

二、持久的激情才是赚钱的

在很多场合，马云告诫创业者说：“短暂的激情是不值钱的，只有持久的激情才是赚钱的。”可能有读者不理解这句话的含义，我们来看看阿里巴巴创业时的一段录像就明白了。该录像的内容是，1999 年，刚成立阿里巴巴时，在浙江省杭州湖畔花园的马云家，18 个创始人听马云慷慨陈词说：“从现在起，我们要做一件伟大的事情。我们的 B2B 将为互联网服务模式带来一次革命！”

当时的马云，留着长长的头发，充满激情地对创业伙伴们说：“你们现在可以出去找工作，可以一个月拿三五千的工资，但是三年后你还要去为这样的收入找工作，而我们现在每个月只拿 500 元的工资，一旦我们的公司成功，就可以永远不为经济所担心了！”

马云的豪言壮语阐释了创业初期的艰难现实，在阿里巴巴创办初期，不仅没有营业收入，而且还背负着巨额的费用支出。时值 2001 年，互联网泡沫破灭，中国的互联网行业跌入低谷。这一时期，一些知名的“.com”公司，例如，新浪、网易处境都很艰难，8848 网站甚至被法院查封，而一些还未成气候的公司也大批大批地死掉了。[①]

面对如此艰难的境况，在马云看来，要想创业成功，必须充满持久的激情。只有将激情持续下去，才能面对各种经营上的困难。

没有激情，创业必败

2014 年 9 月 19 日是个沸腾的日子，因为阿里巴巴在美国上市，这一天拉开了马云成为中国内地首富的大幕。的确，马云登顶中国内地首富的位置，为其成功创业者的光环上更增添了一抹诱人的色彩，同时也激发着数不胜数的人们投入到创业者的队伍中。

据最新的一项研究报告显示，中国大陆地区的创业活动正处于活跃状态，新一轮的创业高潮正在形成。然而，与此同时，中国创业企业的失败率却在 70% 以上，平均企业寿命不足三年，七成企业活不过一年。尽管“各领风骚三五年”并非中国特有的现象，在发达国家也是如此，但是，在那里，创业当年就失败了的新企业仅占 35%，活过五年的也能达到 30%。[②]

不可否认，对于任何一个创业者而言，其创业的成败无疑与企业本身的诸多因素息息相关，因为创业本身就是一项风险很高的事情，所以，这就决定了创业者必须拥有极佳的创业激情，否则，在创业的道路上容易因遭遇失败而放弃。

当然，有的研究者把创业失败归咎于创业环境，他们认为，环境的好坏也在很大程度上起决定性作用。但是这样的观点是有失偏颇的，正如狄更斯在《双城记》中所说：“这是最好的时代，这是最坏的时代。”

在任何一个环境下，创业的成功与否与创业者的个人经历、能力等因

① 朱甫：《马云如是说》，中国经济出版社 2008 年版，第 5 页。

② 陈明星：《中国创业企业失败率高达 70% 以上》，《经济视点报》2006 年 8 月 22 日。

素有关，特别是坚忍的毅力和面对困难的激情。在马云的创业之路上，也是经历过诸多失败之后，最终因为创业激情而赢得客户、风险投资家、创业伙伴的认可。

对此，马云在很多场合告诫创业者说：“不能经受挫折的激情只能算是冲动。”在马云看来，持之以恒的激情和脚踏实地的坚持不懈才能赢得创业的成功，马云在中央电视台财经频道《赢在中国》栏目点评创业选手时说：“任何事情成功的背后肯定会有激情做支撑，但是如果这个激情是短暂的，可能就无法走得更远。《赢在中国》上赛季36强中一名选手是坐着轮椅来参加比赛的，我想大家对他并不陌生，这个赛季他又报名参加了，无论结局如何，他具备了这种长久的激情，如果他的项目不被认可，那他的这种激情也是值得尊重的，注定要给所有的观众、所有的选手留下深刻的记忆，同时他的这种精神对我们也是一种财富。因此，结局已不重要，他赢得了所有人的尊重。”

创业需要持久的激情

在很多场合下，面对许多创业者询问创业成功的密码，马云回答他们时，总是会提及“永不放弃”的座右铭：“短暂的激情是不值钱的，只有持久的激情才是赚钱的。”

如今的马云，不仅拥有中国内地首富的桂冠，还在商界获得了很高的声誉，也成为很多创业者顶礼膜拜的企业家。但是，马云的声誉也是他带领阿里巴巴克服各种难以想象的困难换来的。[①] 当然，正是因为马云具有持久的激情，才摘得了中国内地首富的桂冠。

早在几年前，马云在中央电视台财经频道《赢在中国》做创业导师时就告诫创业选手，想赚钱就要有持久的激情。

① 李斌：《马云谈成功：只有持久的激情才是赚钱的》，《京华时报》2013年1月16日。

在《赢在中国》第二赛季晋级第一场中，创业选手董冰，男，1972年出生，硕士，政治学专业。其参赛项目是：AR修车博士。目标是做中国最专业的电动车维修和综合服务企业，提供电动车整车、二手车、维修、配件批发、高科技产品研发。

当创业选手董冰介绍完参赛项目后，马云就问董冰："谢谢董冰。我简单一点，三个问题，第一，为什么是电动车；第二，为什么是苏州；第三，组织员工学习三个小时都在学什么。"

董冰回答说："为什么我选择了电动车，我先回答第一个问题。因为这个行业被打压，是完全依靠市场推动力发展支撑的，现在我已经得到了一个很好的消息，政府马上解禁了，证明它顽强的生命力已经迫使一些地方政府不得不让路了。真正有市场生命力的东西一定不是靠扶持起来的，而是靠市场需求生存的，再加上我们的技术能够深入这个行业，所以我选择了电动车这个行业。第二，我为什么选择苏州，有两个理由。一是因为苏州的电动车保有率非常高，如果我在苏州做不成功，证明我无能。二是因为我在苏州没有任何可以利用的关系，如果我能做成功，就说明我们的模式能够复制到全国。第三，三个小时学什么，我以我的团队为荣誉，为骄傲。但是不得不告诉大家，我们所有人，除了我以外平均学历只有初中。很多人十几年前来自于安徽的大山沟里，我举一个最简单的例子，我要求我的店长在短时间内把人培养起来，如，经过十天左右的培训，他已经能够做到抬头挺胸，穿着我们的工作服走进五星级宾馆的大门。这就是我们的培训。我们让所有的人以这个为荣，只有这样才能做强做大。"

最后，马云点评创业选手董冰说："董冰，我非常感慨，你这样的项目是《赢在中国》更需要倡导的，点点滴滴做起一个小店，小企业要有远大的理想，我看到了这个远大的理想。但是我觉得你的激情也不错，我的建议是短暂的激情是不值钱的，只有持久的激情才是赚钱的，而激情不能受伤害。尤其你的员工在上班非常累的情况下，要再学三个小时，学习，这很好，但是一个人的体力会消耗掉的，学习无处不在，要从听、从看、从刻苦中学习，你要在这儿做调整。"

阿里巴巴六脉神剑之激情

在创业的道路上，没有激情的创业者无疑是一个没有号角声的战斗者，不仅缺乏斗志，而且也不会持久。对此马云说："创业路上需要激情、执着和谦虚，激情和执着是油门，谦虚是刹车，一个都不能少。"

在很多场合，马云讲述自己的创业经历时，都是在提醒创业者要拥有持久的激情。马云说："创业需要激情，只是短暂的激情还远远不够，它需要持久地支持着创业者的灵魂。"

在马云看来，一个创业者没有激情就像激烈的拳击比赛场上鸦雀无声，这样不仅会使运动员失去斗志，不可能发挥出最高的水平，也会使裁判、教练的热情削减。[①]

事实上，在阿里巴巴，激情的作用非常大，在阿里巴巴的"六脉神剑"中，马云把"激情"的作用排在了第五位，具体的内容见表 2-2-1。

表 2-2-1　阿里巴巴的六脉神剑之激情

序号	内　容
（1）	乐观向上，永不言弃
（2）	喜欢自己的工作，认同阿里巴巴的企业文化
（3）	热爱阿里巴巴，顾全大局，不计较个人得失
（4）	以积极乐观的心态面对日常工作，不断自我激励，努力提升业绩
（5）	碰到困难和挫折的时候永不放弃，不断寻求突破，并获得成功
（6）	不断设定更高的目标，今天的最好表现是明天的最低要求

① 成杰：《永不放弃：马云给创业者的 24 堂课》，中国华侨出版社 2011 年版，第 25 页。

在表 2–2–1 中提到的要“碰到困难和挫折的时候永不放弃，不断寻求突破，并获得成功”，足以看出马云的用心。在这里，我们来分享一下马云的创业经验：

> 我在一次跟创业者交流的过程中，我说创业者的激情很重要，但是短暂的激情是没有用的，长久的激情才是有用的。一个人的激情也没有用，很多人的激情非常有用。如果你自己很激情，但是你的团队没有激情，那一点用都没有。怎么让你的团队跟你一样充满激情面对未来、面对挑战，是极其关键的事情。
>
> 我想创业者一定要想清楚两个问题：第一，你想干什么，不是你父母让你干什么，不是你同事让你干什么，也不是因为别人在干什么，而是你自己到底想干什么。第二，你需要干什么，想清楚想干什么的时候，你要想清楚，我该干什么，而不是我能干什么。
>
> 创业之前很多人问，我有这个，我有那个，我能干这个，我能干那个，所以我一定比别人干得好。我一直坚信，这个世界上比你能干，比你有条件干的人很多，但比你更想干好这件事情的，应该全世界只有你一个人，这样你的机会就会多一点。所以想清楚你干什么，然后要想清楚该干什么，不该干什么。
>
> 在创业的过程中，四五年以内，我相信任何一家创业公司都会面临很多的抉择和机会，在每个抉择和机会过程中，你是不是还像初恋那样记住自己第一次的梦想，至关重要。在原则面前你能不能坚持，在诱惑面前能不能坚持原则，在压力面前能不能坚持原则。最后想干什么，该干什么以后，再给自己说，我能干多久，我想干多久，这件事情该干多久就做多久。

在马云的创业历程中，经历了诸多难以想象的困难，不过，马云凭借自己持久的激情，最终赢得了辉煌的战绩，见表 2–2–2。

表 2-2-2　马云的成就与荣誉

序号	内　容
（1）	2000 年 10 月，马云被“世界经济论坛”评为 2001 年全球 100 位“未来领袖”之一
（2）	2001 年，马云被美国亚洲商业协会评选为 2001 年度“商业领袖”
（3）	2002 年 5 月，马云获选为日本财经杂志《日经》的封面人物
（4）	2004 年 12 月，马云荣获十大年度经济人物奖
（5）	2005 年，马云成为中国内地第一位登上美国《福布斯》杂志封面的企业家
（6）	2006 年，马云成为中央电视台经济频道《赢在中国》的创业导师
（7）	2008 年 3 月，马云获选《巴隆金融周刊》2008 年度全球 30 位最佳运行长
（8）	2008 年 7 月，马云获得日本第十届企业家大奖（该奖项过去只颁发给日本国内的企业家）
（9）	2008 年 9 月，马云获选美国《商业周刊》评出的 25 位互联网业最具影响力的人物（马云也是唯一上榜的中国企业家）
（10）	2008 年 10 月 31 日，阿里巴巴有限公司和杭州师范大学合作共建杭州师范大学阿里巴巴商学院，马云任董事会董事长
（11）	2009 年，45 岁的马云个人净资产达 80 亿元
（12）	2009 年 11 月，马云获选《时代》2009 年百大最具影响力人物
（13）	2009 年 11 月，马云获选《商业周刊》2009 年中国最具影响力 40 人
（14）	2009 年 12 月 23 日，马云获选 CCTV 中国经济年度人物中国经济十年商业领袖十人之一
（15）	2010 年，马云入选 2010 中国国家形象宣传片人物
（16）	2010 年 9 月，《财富》杂志以“智慧”和“影响力”为指标，评选出当今全球科技界最聪明的 50 人。马云以“阿里巴巴 CEO”身份入围“最聪明 CEO”第四名，颁奖词为“阿里巴巴的帝国正在向全球快速扩展”
（17）	马云入选 2012 年《财富》中国最具影响力的 50 位商界领袖排行榜，排名第八
（18）	马云入选 2012CCTV 中国经济年度人物候选人
（19）	马云入选 2012 年度中国企业十大新闻之民企新闻人物
（20）	2014 年 10 月 27 日，在福布斯中文网发布的 2014 中国富豪榜中，阿里巴巴创始人马云以 195 亿美元身家名列第一
……	

三、创业者要永远激情下去

马云在很多场合告诫创业者说，作为一名合格的创业者，其首要条件就是“要有激情”。对于创业激情问题，作为阿里巴巴缔造者的马云却有自己独到的看法。2004年，在国际电子商务大会上，马云告诫创业者说：“电子商务是一个新的领域，我们最重要的是永远为你所激情的事情激情下去。做电子商务不容易，今天有这么多人在，我非常高兴。从事网络的人，尤其是这几年活下来的人，经历的事情太多……”

马云的创业经验无疑是一种由衷的总结。在马云看来，只有永远激情下去，创业者才能坚持到最后。1995年，马云辞掉了大学英语教师的职位，毅然“下海”，至如今的2014年阿里巴巴上市成功，马云所走过的路程，用“永远激情”来概括再合适不过了。①

创业者最优秀的特点就是激情

在创业的道路上，无疑会遭遇各种艰难困苦。在这样的条件下，要想创业成功，必须拥有持久的激情才能坚持下去，因为创业如同修行，是一个艰难而漫长的旅途。

马云在多次演讲中反复告诫创业者说：“短暂的激情是不值钱的，只有持久的激情才是赚钱的。”

当然，马云的告诫已成为大众所知的名言之一，更是被成百上千的创业者奉为圭臬。究其原因，激情是创业者最不可或缺的品质之一，也是创

① 朱甫：《马云如是说》，中国经济出版社2008年版，第5页。

业者最优秀的特点之一。

马云坦言，在阿里巴巴，当初的“十八罗汉”是一批拥有激情、梦想的年轻人，之所以能够在一起创业，是因为想创建一家伟大的公司。尽管如此，理想很丰满，现实却很残酷。在挫折和困难中，年轻的创业伙伴激情更容易退去。

在这样的情况下，马云提醒和他当初一样的创业者，要想创业成功，就必须要永远保持创业的激情。马云说：“创业者最优秀的品质就是激情。有些人，创业初期是很有激情的，但激情来得快，去得也快，所以，我希望你们的激情能保持三年，保持一辈子。”

在马云看来，“短暂的激情只能带来浮躁和不切实际的期望，它不能形成巨大的能量，而永恒持久的激情才会形成互动、对撞，产生更强的激情氛围，从而造就一个团结向上、充满活力与希望的团队”。因此，这就是马云说创业者最优秀的特点就是激情的根源所在。

事实证明，在创业的过程中，只有持久的激情才能保持积极的心态。正如，被誉为非洲圣人阿尔贝特·施威茨尔（Albert Schweitzer）的《创业宣言》所言：

> 我怎会甘于庸碌，
> 打破常规的束缚是我神圣的权利，
> 只要我能做到。
> 赐予我机会和挑战吧，
> 安稳与舒适并不使我心驰神往。
> 不愿做个循规蹈矩的人，
> 不愿唯唯诺诺麻木不仁。
> 我渴望遭遇惊涛骇浪，
> 去实现我的梦想，
> 历经千难万险，哪怕折戟沉沙，
> 也要为争取成功的欢乐而冲浪。

一点小钱，
怎能买动我高贵的意志。
面对生活的挑战，我将大步向前，
安逸的生活怎值得留恋，
乌托邦似的宁静只能使我昏昏欲睡。
我更向往成功，向往振奋和激动。
舒适的生活，怎能让我出卖自由，
怜悯的施舍更买不走人的尊严。
我已学会，独立思考，自由地行动，
面对这个世界，我要大声宣布，
这，是我的杰作。

当创业者看了《创业宣言》的内容，我深信《创业宣言》会让无数的创业者兴奋不已。的确，在创业的道路上，艰难困苦能激发创业者的激情。反过来讲，激情则能最大限度地激发创业者的潜能，让创业者执着地朝着自己的目标迈进。

马云的创业路，就是这个案例的直接证明。1988 年，马云在从杭州师范学院外语系毕业后，被分到杭州电子工业学院当英语老师，同时兼任学院外办主任，这段做老师的经历也教会了马云很多事情。马云后来回忆说："在学校教书的五年，给我带来的好处就是知道了什么是浮躁，什么是不浮躁，知道了怎么做好点点滴滴，创业一定不能浮躁。"

在其后的创业中，尽管马云遭遇了各种创业困难，甚至面临员工的工资也发不出，但他凭借激情坚持到了春天。作为创业者，创业难以避免逆境。一旦遇到逆境，只有充满激情地去解决问题，因为只有充满激情地积极面对并解决这些问题才能保证创业成功，一见困难就逃避，这样的创业者是不能取得成功的。

不能经受挫折的激情只能算是冲动

事实证明，对于任何一个正在创业或者即将创业的人来说，必须要明白，创业是一个非常漫长而艰辛的历程，可以说是一件非常不容易的事情，仅仅单凭一时的创业激情就能够成功的想法是不客观的。

在这些创业者看来，大学未毕业的比尔·盖茨创业成功，大学未毕业的杨致远创业成功，大学未毕业的迈克尔·戴尔创业成功……，这些创业者大学未毕业都能成功，这无疑使得越来越多的大学生，或者许多年轻的大学毕业生毕业之后，都拥有一腔创业热情，也想在创业的疆场上驰骋。殊不知，这样的美好愿望在遭遇挫折时，顿生失落，结果使得创业失败。

在中央电视台财经频道《赢在中国》栏目中，马云多次告诫创业选手，“短暂的激情不值钱”。《赢在中国》是中央电视台的一档全国性商战真人秀节目、大型励志创业电视活动。由于获胜者可以获得企业提供的一大笔风险投资，所以吸引着不少有志创业的人前来参加。这档节目有许多企业家创业导师，马云正是其中颇有分量的一个。①

在中央电视台财经频道《赢在中国》第一赛季晋级篇第五场中，来自美国的工商管理硕士、电子工程硕士陈跃武直接被马云淘汰掉了，出现这样的结果很令人吃惊，因为陈跃武也是带着周详的计划、创业的激情来到这个赛场的。

马云是这样陈述自己这样做的理由的：“第三位选手陈跃武，我很想坦率地跟你讲，你最好别创业。听起来挺难受，但是刚才吴鹰也讲了，创业很累，创业的失败率很大很大。从你的性格上看，我觉得你比较适合做一个工程师，或者是比较适合参与一个已经成为创业成功的团队里面承担一定的工作，因为你的条理、你的理性，以及你的温文尔雅，创业者都是

① 蒋云清：《马云谈商录》，北京联合出版公司 2011 年版，第 16—21 页。

疯疯癫癫的多一点。如果你真的要创业，我建议你 MBA 毕业以后最好先找一份工作，到中国来干五年，五年以后还想创业，你再创业，五年以后一般会消灭掉很多创业的想法。你这个项目什么时候需要熊总、吴总和我们投资的时候，你已经找的 1000 个客户每人付你 300 美金的时候，我们再好好谈一谈好不好？”

创业选手陈跃武被马云当面否定，这的确是一件非常尴尬的事情，不过，马云这样评价陈跃武是有其依据的。在参赛的 36 强及 108 强的选手中，陈跃武几乎可以说是项目准备最不充分的一个。他的团队在当年 5 月才成立，6 月初才开始找项目，6 月 10 日前后面试通过入 108 强，6 月 18 日到北京参赛。36 强的其他选手都有很强的项目，很多人有运营数年的公司，百万元、千万元的营收，项目上的优势不言而喻。虽然陈跃武拥有满腔热情，想在网上为高端的中国和美国的商业领导建立一个交流的平台，但这么短的时间内成立的团队，能否经受住创业艰辛风雨的洗礼[①]只能是拭目以待。

在马云看来，绝大部分人死在明天晚上，所以创业者必须努力面对今天。马云说：“现在外面有很多写阿里巴巴如何成功、如何不错的书，说实在的，没有一本书是我看过的，也没有一本书是我自己写的，或者接受过采访。我觉得将来我想写一本《阿里巴巴一千零一个错误》。我们犯的错误非常多，所以想跟所有创业者和准备创业者讲的，还是我每天跟自己讲的话，今天很残酷，明天更残酷，但后天很美好，绝大部分人死在明天晚上，所以我们必须每天努力面对今天。”

创业的首要条件是“要有激情”

在中央电视台财经频道《赢在中国》第一赛晋级篇第八场中，创业选手潘诚，男，1970 年出生，本科，光电子技术专业。其参赛项目是，“硬

① 蒋云清：《马云谈商录》，北京联合出版公司 2011 年版，第 16—21 页。

盘录像机生产，实现四项功能：电视节目的录像和回放、照片的编辑管理、DV和AV摄像机摄出资料的管理、家庭监控。”

当马云问道：“你觉得你前面过得怎么样？你的短处在哪里？你说五十年以后的事不去考虑，但我觉得五年以后的事你需要去考虑。五年以后如果你要碰到吴鹰，或者铁鹰什么的，你怎么跟这些人竞争，他有研发、生产和销售体系，如果他看好你的项目，他很可能自己来做，他的钱也比你多。”

潘诚回答说：“创业对我自己的挑战非常大。创业初期要发扬自己的长处，比如，我有冲劲，我会做技术，也会做市场，把自己的长处发扬出来。做到一定程度以后，仅有长处不够，有短处才可以。

“我觉得我的表达能力还需要提高。我今天在中央电视台的这种表现已经是非常好的了，很多年以前我根本不可能做到这样。我在不断地学习改变自己。《赢在中国》节目宗旨的第二句话是‘创业改变命运’，我想把它改一改，‘创业改变自己’，我自己在多年创业中不断学习，比如说，学会如何表达自己的思想。

“不好意思，五年以后的事确实没考虑。我们预计到2008年奥运会的时候，我们的销售会有爆发式增长。”

当听完潘诚的回答后，马云点评说：“潘诚，你赢了，但还有不足的地方。我认为，快乐不是一个概念，概念永远不是一个企业的核心竞争力。任何一个创业者，永远要把自己的笑脸露出来，你的脸看起来好像是很痛苦的样子，很难想象一张痛苦的脸可以给人带来快乐。所以快乐是需要展示出来，你要把自己的快乐展示出去。此外，刚才讲到发脾气，其实男人的胸怀是委屈撑大的，多一点委屈，少一些脾气你会更快乐。”

在马云看来：“持久的激情是最赚钱的，在任何时刻，永不放弃。永远坚持自己的梦想，保持自己的激情。”马云的评点是有依据的，2007年7月29日，在跟“五年陈”（阿里巴巴的员工在工作满五年之后会被称为“五年陈”，并获得一枚公司定制的戒指）员工交流时，马云给阿里巴巴的员工讲了一个关于孙正义的故事：

当年软银在日本刚刚成立的时候，孙正义就希望给员工的工资低一点，于是就把公司的一部分股票分给员工。有一些年轻的女员工得到了一点股票，但是她们很不高兴，因为股票不多，在当时也不能变现，她们就不想要股票，想多要一点工资。

之后不到两年，软银就上市了，这些女员工的一点股票居然一下子价值达到了一百多万美元，最后涨到将近两百万美元。拿股票更多的全部成了几百万美元的股东，还有人甚至成了几千万美元的富翁。这些女员工十分高兴，心想有这么多钱了还工作干什么，于是她们嫁人的嫁人，不干活的不干活，开始买房子、买车，没有一个人真正感谢公司，没有一个人感谢团队。由此也给软银内部带来很大的冲击，有很多员工辞职成立了自己的公司，还过来挖原来公司的墙脚。但是，这些出去的人，据统计没有一个人是成功的，来得快，去得也就快。①

马云通过这个故事告诫阿里巴巴的老员工，不要因为一下子成了“暴发户”就没有了工作的激情。马云坦言，自己从来就不缺少激情，但是却非常看好唐僧师徒团队。马云说：“唐僧是一个好领导，他知道孙悟空要管紧，所以会念紧箍咒；猪八戒小毛病多，但不会犯大错，偶尔批评批评就可以；沙僧则需要经常鼓励一番。这样，一个明星团队就成形了。”

在马云看来，一个企业里不可能全是孙悟空，也不能都是猪八戒，更不能都是沙僧，马云说：“要是公司里的员工都像我这么能说，而且光说不干活，会非常可怕。我不懂电脑，销售也不在行，但是公司里有人懂就行了。”

① 蒋云清：《马云谈商录》，北京联合出版公司2011年版，第16—21页。

第三章
炒概念的时代早已结束

概念到今天这个时代已经不能卖钱了，它必须变成具体的东西，哪怕很小，很具体，很细节，大家都会欣赏。

——阿里巴巴创始人　马云

一、不脚踏实地什么都是浮云

2010年12月6日，时任阿里巴巴集团主席兼首席执行官的马云在对外经贸大学分享其创业心得时，告诫大学生说："不脚踏实地什么都是浮云。"

在马云看来，这世界上没有优秀的理念，只有脚踏实地的结果。仅仅凭借一两个创业点子就能成功创业的时代已经远去，创业者只有脚踏实地创业，成功的几率才会更大。

概念到今天这个时代已经不能卖钱了

在20世纪90年代，很多中国创业者都非常迷恋策划，他们总是试图用某些"一招鲜"的营销手法来造就企业神话。尽管一部分人在"一招鲜"策划中赢得了一时的胜利和辉煌，这类昙花一现的品牌，比如，秦池、爱多、三株、太阳神等，从灿烂夺目到黯淡无光，也不过两三年。但过些年后再回头看看，我们会发现当年占据媒体每一个角落的英雄企业已所剩无几。[①]

究其原因就是他们没有注重产品的研发、危机公关的管理、企业品牌的塑造等，结果使得他们像流星般快速陨落了。尽管他们有着短暂的神话，但绝对没有打造一个百年老店的经营方法。

研究发现，策划让无数的企业落入深渊，主要是因为任何单以玩命打广告炒作的方式获取市场份额的做法都是难以持久的。这种炒作的行为缺

① 李雪平：《"昙花品牌"速亡揭秘》，2014年，见 http：//www.em-cn.com/Article/2007/151339.shtml。

乏长远的战略规划，只是投机式的游击方法。甚至有学者认为，这样的策划炒作就像当年一部分农民起义军，风风火火闯完九州，最终还是落得个破产收编的下场。

对于很多创业者而言，他们迷恋策划的一个重要原因是，他们以为这样可以说服消费者，甚至在某些广告中充斥着“××大王”“全国最大”“全球首创”等低级幼稚的宣传语言。

当然，在不少创业者的自我描述中出现如此荒唐的自我分封的宣传语，其实就是典型的占山为王的具体表现。正是大多数创业者这种好大喜功的心理，才形成了中国独有的“行业排行榜”现象，大家互相攀比、争相花钱去买“名”。

在创业过程中，创业者不是梁山好汉，也不是过去的农民起义者，而是实实在在的实干家，不能想当然地自我分封。否则，其结果必然是毁了创业者自己，也毁了企业好不容易积累的声誉。

在中央电视台财经频道《赢在中国》第二赛季晋级篇第九场中，马云告诫创业选手李宗恩说：“概念到今天这个时代已经不能卖钱了。”

据《赢在中国》栏目组的资料介绍：李宗恩，男，硕士，工商管理专业。其参赛项目是“Web3.0：新一代的网路”，Web3.0是一个全新的观念，改变原有使用者互动的模式，打破知识内容和广告的界限，使得新的商业模式能产生很大的实质经济效益，也为营运本身带来获利。

在节目中，作为创业导师的熊晓鸽发问：“李宗恩，你解释一下什么叫Web2.0。”

李宗恩解释：“相当于YouTube，今天阿里巴巴的网站不会说我李宗恩上去把它改掉，不会改内容，不会加内容，Web2.0是互动的，消费者自己改。YouTube有一百多万使用者，大家可以把东西加到上面去，大家可以交流，这是一个互动的模式。1.0就是单向的，像阿里巴巴网站以一个公司为主导，不管使用者有多少互动，互动本身却要由公司指导。

“……像YouTube基本上不会改内容。最大问题就是2.0没有代表真实社会中的经济行为，经济行为不会有一百万人在城市里交易，这是2.0

最大的问题。3.0 就是经济实体，它实际代表很多个人的经济行为，组成一个公司，所以把真实经济学家在现实生活中的行为模式带到网络上来，这样才能把虚拟世界和真实世界结合在一起，这也就是为什么大部分 2.0 不赚钱。Google 收购了 YouTube，到今天还是赔钱，本身那部分还是赔钱，Google 买它还有其他原因。一个单独的 Web2.0 公司是没有办法赚钱的，没有必要建一个 2.0 的。"

马云问道："世界上还有哪家公司做出真正的 3.0？"

李宗恩坦言："现在没有，基本上 Microsoft 在中国研制出来，比如，小布什查某个事情，50% 的人认为他是傻瓜。现实生活中的问题拿到网上搜寻。"

马云继续问："我还有一个问题，阿里巴巴是 1.0，你用过阿里巴巴没有？"

李宗恩回答说："我想我还是不要评论，我可能对阿里巴巴不清楚，我知道 B2B，现在阿里巴巴没有 YouTube 的方式吧，1.0、2.0 只是一个指标，只是讨论用的。在价值以外，如果价值大家都可以创造出来那也没用。"

马云继续追问："所以我很好奇你的 1.0、2.0、3.0，对于阿里巴巴我不在乎几点零的版，我们必须对客户创造价值，对客户有用，哪怕 Web0.1 也无所谓。我没听清楚你干什么，我们投钱，你怎么给股东赚钱？你担心我们抄袭你，但是我们一看就知道这不是真的东西。"

李宗恩答道："这个公司等于帮大公司做一种洗脑式的广告，实际不是广告，就是影响消费者行为。比如，卖化妆品，不是卖化妆品，而是教你化妆方式。抄袭我不怕，你看得出来破绽，我也认，我想是没有破绽的。我本来想要不要接这家公司的 CEO，如果你告诉我不行，钱不用投进去，那我人也不用去。"

最后，马云对李宗恩点评说："34 号（李宗恩），我可能会讲得比较重一点，我觉得你是我最担心的，刚才我挺担心观众选你，幸亏差了一票。为什么这么讲？我想跟你探讨一下，其实最聪明的人永远相信别人比自己聪明，聪明是智慧的天敌，自认为很聪明的人，很难成为智者。所以我觉得创业者永远要把你的股东，把你的团队想得比自己聪明，因为他们基本上都知道。我的感觉，你的整个故事，你刚才讲到你跑过很多VC（Venture Capital，风险投资），大家都没给你钱，但是我必须告诉你真话，因为你讲的很多是概念，概念到今天这个时代已经不能卖钱了，它必须变成具体的东西，哪怕很小、很具体、很细节，大家都会欣赏。所以我觉得，不管出于何种目的，必须把自己的计划说得清清楚楚，大家都能听懂。也许我的智商比较低，没听懂，如果还有很多人没听懂，问题肯定出在你身上，而不是别人身上，所以这是我给你的一个建议，希望你记住。如果你按现有的套路出去讲一百次，还不给你钱，因为大家觉得你的东西不是不好，而是听不懂。”

创意只是企业运营中的一环，不是所有

马云坦言：“20世纪80年代挣钱靠勇气，20世纪90年代靠关系，现在必须靠知识和能力。”在马云看来，创意只是企业运营中的一环，不是所有。马云忠告创业者说：“创意要随市场而动。”当阿里巴巴退出“云计划”后，一些关注“云计划”的中小企业创业者都非常希望马云能够为其指点迷津。

在一些创业者看来，三五个年轻人，几台服务器，将创意理念付诸文字、图片和视频，互联网靠上广告创意，这几乎一直是令人艳羡的“淘金模式”。但大大小小的相似企业层出不穷，互联网广告业务的“红海”里初出茅庐的年轻创业者往往遭遇“创意”与“世俗”的激烈碰撞。[①]

一些年轻创业者认为，他们是中国互联网创意产业的未来。尽管如此，一旦创意变成“一招鲜”创业模式时，这样的创业者肯定会遭遇失败。

马云告诫那些“一招鲜”创业者说：“用什么样的创意，这是你们自

① 张绪旺：《马云：创意要随市场而动》，《北京商报》2010年6月30日。

己的问题，跟别人一点关系都没有。外界永远有不同的声音，即使你做得再好，也会有人不认可。”

马云坦言，没有人可以改变别人的创意，只有自己、只有市场、只有客户。但是，在当下的市场环境下，正如马云所说：“再好的创意，没人用，那就是瞎掰。”

在中央电视台财经频道《赢在中国》第二赛季商业实战篇第六场中，马云告诫创业选手牟文建说：“创意是企业运营中一个很重要的一环，但它只是一环，不是所有，所以要把每项工作落实到实处。”

在节目开始前，创业选手分为两队。红队成员：7 号窦大海、2 号牟文建、4 号张华；蓝队成员：3 号李书文、8 号冯志刚。他们的商战任务是为思科公司的网真技术，策划一种新型的商业应用模式，选手要在一个小时以内，利用网真系统来演示本队策划的商业模式，之后各用半小时，向思科公司阐述商业模式。但要注意，两队的商业应用模式，不包括网真现有的会议系统、远程教育和远程医疗商业模式，也不包括思科培训过程中介绍的案例应用，每队有 5000 元的活动经费。此次任务，主要是考察选手对思科网真技术的理解，以及选手研发的商业模式的创新性、可行性和市场潜力，还有实际运用网真过程中的执行能力。

在现场回放中，马云问李书文：“我们对刚才 3 号李书文讲的一句话，想继续听一些具体的情况，李书文提到在整个比胜过程中，7 号窦大海这个大学老师背后有很深的心计。我们想知道，这句话有什么意思，是否有什么东西藏在背后，到底是一个什么样的真实情况，你能给大家解释一下吗？还有没有具体的事例来说明这句话？”

李书文回答说：“有几个方面的判定。第一，说句自负的话，假如我们两人同时晋级，他会不会认为我在大决赛上影响他的名次呢？这当然是个小人的看法了；第二，可能是每个人都有自己的个性吧，也许是个性使然。假如还有一种可能的话，就是我判定错误了，可能是偶然的东西，我把人家当作必然了。第一是感觉吧，第二就是我刚才举了一个例子，运物料的时候，我们俩在一个队，他到张华的地方去运，反复交代以后，还是被对方拿走了我们的东西，这是一个证据。”

在任务结束后，马云对红、蓝两队创业选手点评说：

“比赛进行了那么多场，我也不做深层次的评论，但我想刚才给了大家很好的机会，倾听一下队友怎么看你。比较遗憾的是，在每个人讲自己三点的过程中，没把别人给你的批评，放到自己的熟悉过程中。今后永远要把别人对你的批评记在心里，别人的表扬，就把它忘了。当然别人批评你的时候，还是记住这句话：男人的胸怀是委屈撑大的，别弄得火气挺大。

“8号（冯志刚），你说你年纪最小，但是我发现这几场比赛下来，没人说你非常好，也没人说你非常坏，年龄小不是什么弱项，但是，假如没人说你好，没人说你坏，你就应该去想想，自己在比赛中创造了什么样的价值。对本场比赛而言，我希望你记住一点，做任何事，必须要有突破，没有突破，就等于没做。

“7号（窦大海），我觉得在这几场比赛中，体现了你很好的领导力，我不想给你讲太多的优点，我想大家都看见了，但是有两点，所有人都提到你踩红线，以及个人英雄。

“3号（李书文），你的领导力很强，但是所有人可能都有这样的感觉，你不断在红线边上跑来跑去，你被死缓过一次。今后在工作中，一定要记住这点，团队中假如自己力量太强，大树底下难长草。真正的领导是通过别人拿结果，而不是自己冲在最前面。

“2号（牟文建），我觉得，在这几场比赛中，明显体现出你工作的落实点不够。人家说你虚，你可能不一定能接受，但是在我们整个观察过程中，我觉得你偏向于做创意工作，做企业不仅仅是做创意，创意是企业运营中很重要的一环，但它只是一环，不是所有，所以要把每项工作落到实处。”

在马云看来，世界上缺的不是创意，缺的是把创意真正做出来并获得市场认可的人。马云告诫年轻创业者说：“我们如何能保证我们的创意？创意要随市场而动，随客户而动。”事实证明，“假如客户觉得不满意，你就改变自己，至于其他的评论，那是别人的事情。”

“营销”既要“销”，更要“营”

在20世纪90年代，很多创业者依靠某个点子取得了成功，往往出现“一招鲜，吃遍天”的情况。一旦创业者坚持这样的做法，无疑是在缘木求鱼。

对于这样的问题，学者何学林举例说：“2002年，一本不到100页的小册子《谁动了我的奶酪》流传甚广，人们甚至已经习惯将‘奶酪’当作各种变化的代名词，成了一个时代的流行语。但这本书不是自动畅销的，一开始出版方做了大量细小的努力，都没有使这本书畅销。中央电视台的《对话》栏目起到了举足轻重的作用。那时正值《中国企业家》200期纪念，杂志社想与中央电视台合作，约请该杂志报道过的知名企业家一起来讨论一下入世后如何面对变化。而事有巧合，《对话》的制片人曾经买过一本原版的《谁动了我的奶酪》，觉得这本书是一个很好的切入点。于是，在《谁动了我的奶酪》上市两个月的时候，《对话》为其烧了很旺的一把火，不仅使得该书在观众中的知名度大增，而且由于众多知名企业老总的间接推荐，有效地促进了企业用户的集团购买。”①

在后来的图书中，《谁动了我的奶酪》再也没有重现当初的辉煌。对此，马云认为，“营销”既要“销”，更要“营”。在中央电视台财经频道《赢在中国》第二赛季商业实战篇第五场中，马云告诫红队创业选手时说：“‘营销’这两个字强调既要追求结果，也要注重过程，既要‘销’，更要‘营’。”

在节目开始之前，创业选手分为两队。红队成员：2号牟文建、3号李书文、5号夏霓；蓝队成员：4号张华、8号冯志刚、7号窦大海。他们的商战任务是销售汇源公司的儿童饮料高端品牌——百利哇。这次比赛是一次完整的营销过程，选手们除了要分析目标消费者、选择产品、制定价

① 何学林：《中国企业战略批判》，广东经济出版社2005年版，第207—208页。

格，还要根据竞争者来及时调整策略，并且要控制库存。创业导师要考察整个活动的组织和团队合作情况，每队销售的现金收入减去库存为本队销售收入。最终创业导师会根据过程和结果综合进行评判，来决定输赢。每队有活动经费500元。

任务完成后，马云点评说："我觉得有几个原因把红队留下。你们不断解释营销，何谓营？何谓销？你们第一天就确定了战略思想，'销'远远大于"营"，以结果做导向。你们都知道，汇源不会靠你销售250箱饮料来挣多少钱，汇源朱总是希望通过这个活动能够产生一定的影响力。但在整个活动过程中，我看见你们忙运货、搬货、再运货，而在蓝队那边我看到是蜘蛛侠飞来飞去，他们在'营'的过程中不断沟通，事后客户对汇源产品的理解度远远超过了你们。所以我想，'营销'这两个字强调既要追求结果，也要注重过程，既要'销'，更要'营'。商业一定是门艺术，你既可以这样做，也可以那样做，但不能走极端。比如说，你需要听话的员工，也需要能干的员工，很听话但不能干的员工不能用，但能干不听话的员工也没有用。员工最好是又听话又能干，所以我们的营销既要有影响力，又要有结果。"

二、蒙牛不是策划出来的

在20世纪90年代，一批企业依靠策划迅速被消费者所熟悉，但是如果就此判定策划可以做强做大企业，这样的观点是不正确的。对此，马云告诫创业者说："我不太相信那些策划的大仙们，我认为蒙牛不是策划出来的，而是靠踏踏实实的产品、服务和体系做出来的。大家都知道史玉柱是个策划高手，但在我看来，史玉柱对营销以及产品客户体验的认识，是真正可以称得上大师级的。"

迷恋策划将必死无疑

在娱乐界，很多艺人经过经纪人的策划和包装，曝光率大大增加。于是，就有一些创业者看到娱乐界策划的频繁曝光率，就将产品策划作为公司的重要战略来抓。

这部分创业者的做法是不可取的，也是不提倡的。马云在《赢在中国》评点创业选手时说道："没有产品、质量、服务这些东西，一切策划都是空的，这是我的一个看法。"

马云这样的评论是有根据的。作为创业者，没有适销对路的产品，没有过硬的产品质量，没有较好的服务，一切策划都是昙花一现。

在中央电视台财经频道《赢在中国》第二赛季商业实战篇第四场中，马云告诫创业选手张华说："有价值观，没有业务称为小白兔，一个公司小白兔多了以后，那就是一种灾难。"

在节目开始前，创业选手分为两队。红队成员：2 号牟文建、8 号冯志刚、10 号李海镛、4 号张华；蓝队成员：3 号李书文、5 号夏霓、7 号窦大海。他们的商战任务是通过在联通营业厅推广的形式销售 CDMA 掌上股市的两个产品，选手要在有限的时间内找到足够多的目标客户，并在规定的时间内进行业务推广，每队有 5000 元的活动经费。本次任务要求选手理解和宣传联通 CDMA 手机炒股业务和服务的理念，考察选手现场推进活动的组织效率和实施效果，在相同的前提下，看谁销售的联通 CDMA 掌上股市产品更多，最后还要看选手的活动经费使用效率。①

当红、蓝两队创业选手完成任务后，马云点评说：

"张华，你自己做的水产品理念很好，技术也很好，但如果按照你这样的销售方法，什么时候可以卖出来？等所有人都成功了，你还死在沙滩

①《赢在中国》项目组：《马云点评创业》，中国民主法制出版社 2007 年版，第 95 页。

上。要记住史玉柱讲的话，营销不仅仅是在理念上的营销，临门一脚更重要，你不能把产品卖出去，把钱拿回来，你的员工就得饿肚子，你的公司就得关门，再好的理念都只能写在书上。

“比赛到现在是越来越难了，让谁离开都不好受，但也没有办法，这个是《赢在中国》的比赛规则。我对两位（张华、李海镛）最不满意的是，你们两位从上一场比赛到这场比赛，都是在同一个地方摔了两跤。你们不注重结果，空谈理念太多。所以张华要记住，营销营销，除了‘营’，还得‘销’，‘销’的结果就是数字。没有数字，没有结果，一切营销都是虚的。

“李海镛也一样，人要勇于承担错误，但也不要把所有的错误都往自己身上揽。我上次讲过，有价值观，没有业务称为小白兔，一个公司小白兔多了以后，那就是一种灾难。如果不灭掉几只小白兔，这个公司就不会前进，不会进步。所以你要不断去反思这几场比赛，你赢得了很多人的尊重，很多人都喜欢你。你好像没有什么大的错，但是大家也说不出你到底为大家贡献了什么，而你自己也确实尽心尽力了。其实在这个社会的商业活动中，不缺尽心尽力的人，而是缺真正往前挪动一步，在关键时刻能够为整个团队扭转局势的人。所以张华、李海镛两位都应该认真去思考一下自己的短处，无论是小白兔也好，4 号（张华）永远是四平八稳也好，我上次提醒过你们，战略就在于重点突破。”

蒙牛是踏踏实实做出来的

作为一个企业，适当采取一些策划促销手段来提升销售业绩还是可以借鉴的，但是如果创业者以为，策划能够放之四海而皆准，把它当作万灵丹，那就是不可取的。

要想真正地打开市场，不仅需要质量过硬的产品，良好的售后服务，还需要能力超强的营销团队等。只寄希望策划能够力挽狂澜是在痴人说梦。因此，创业者迷信所谓的著名策划人，只能让自己的企业破产或者倒闭。

反观中国很多企业，多少年来只有一个单一的技术或单一的产品去获取市场，没有建立一个持续的产品与服务开发系统去赢得市场竞争优势，这样在市场环境和客户需求多变的情况下，这种企业往往无法有效地进行调整和转型，从而陷入非常危险的境地。如果想要建立一个持续的产品与服务开放系统，就必须加大产品与服务的研发投入，而现实的情况是，大多数创业者在观念上都认为研发很重要，产品与服务的持续开发力也很重要，但真要投钱的时候，却缩手缩脚，舍不得在研发上投入。[①]这样的企业当然也不可能做成百年老店。

在《赢在中国》第二赛季晋级篇第四场中，创业选手王力伟，男，1973年7月出生，大专，工商管理专业。其创业参赛项目是：销售普洱茶。把握普洱茶独产中国却享誉世界的优势，在普洱茶消费热潮增温趋势凸现的现在，用成熟的商业模式完成普洱茶与消费者在接触点的体验。

当介绍完王力伟的参赛项目后，马云向王力伟发问："把项目先介绍一下。给我介绍一下你的团队。"

王力伟介绍说："目前云贡普洱茶项目代言人是陈宝国，普洱茶也是在厦门大学举办的茶论坛上的唯一指定茶饮品。我们的云贡普洱茶项目已建设完毕，已经完成合同约定过程。我的团队分成两块，销售团队的领军人物是蒙牛液态奶前总经理，我的销售副总，现在的北京分公司老总，是天士力集团原常务副总，还有我的11个大区经理……"

马云追问："生产不在你们这儿？制造工厂不是你们的？"

王力伟回答说："生产基地在昆明，我们在昆明官渡区建了4000平方米的厂房，原料来自西双版纳，也是我们的。"

马云告诫王力伟说："重要的一点是普洱茶的质量和品质，有了质量以后策划才可能成功，没有这些东西，所有策划都是不成功的。这是我的

① 王吉鹏：《产品成功不等于企业成功》，2014年，见 http：//www.globrand.com/2009/183187.shtml。

看法。”

马云的提醒让王力伟不得不面对此问题，回答说：“很抱歉，今天没有谈到产品质量，是因为现场有同行。普洱茶生产上没有秘密，原料上也没有秘密。”

在问完王力伟的问题之后，马云对王力伟点评说：

“第 16 号选手（王力伟），你的项目不错，我不选你的原因是我不看好普洱茶，全国人民都说好的东西，我觉得一定会出问题。而且我不太相信那些策划的大仙们，我认为蒙牛不是策划出来的，而是靠踏踏实实的产品、服务和体系做出来的。大家都知道史玉柱是个策划高手，但在我看来，史玉柱对营销以及产品客户体验的认识，是真正可以称得上大师级的。

“在你的思想逻辑里，你有自己一个很独特的逻辑，这个逻辑也不错，但是你要把别人放在自己的逻辑里，走出自己的逻辑去倾听别人，也许更能了解客户的需求，更能了解市场。

“在整个讲的过程中，我很少听见产品、质量、服务这些内容，可能有了这些以后，再去做策划更会成功，没有这些东西一切策划都是空的。

“品质、质量之中没有秘密，我把阿里巴巴所有事情都跟别人讲，淘宝网的做法也对外讲，品质不仅仅是团队，更是文化和制度，是一整套东西，别人能模仿你的表面，但不能模仿你的理念。”

三、让用户尖叫的产品才是好产品

2014 年 5 月 9 日，马云参加阿里巴巴公司的集体婚礼，在为 102 对新人证婚时，马云鼓励公司员工称“产品要让用户尖叫”。马云说：“各位小伙子，阿里巴巴集团第一个产品，也是最重要的产品是人。作为我们的产品，你们要服务得好，要用心去服务所有的新娘，同时也要记住现在最流行的一句话‘产品要让用户尖叫’。”

在马云看来，让用户尖叫的产品才是好产品，因此，作为任何一个创业者，要想创业成功，就必须踏踏实实地做好产品，作出让用户尖叫的产品，因为只有这样的产品才能赢得顾客的认可。

做企业不是做侠客

对于任何一个创业者而言，要想生存和发展下去，首要的任务是找到自己的客户并将产品销售出去。同样，这个问题也曾经困扰着马云。

2010 年 9 月 11 日，在第七届网商大会上，马云最后致闭幕词说："没有客户的信任不可能有阿里巴巴，不可能有淘宝网。我 45 岁不到就知天命，这不是我悲观是我乐观，我知道我的未来，我能干多少年，我能活多少年，我想做一些什么事，这些想清楚以后我越来越积极，我希望感谢这个社会，感谢所有的客户，感谢所有的员工，感谢所有人的支持。"

演讲中，马云还饶有兴趣地回忆起当初淘宝网创业的情形，淘宝网创始七人组在杭州湖畔公园创业，因为开始网站没人气，七个人就凑了 17 件二手物品挂在网上拍卖，没人拍卖就七个人自己造人气，后来发展到拍下初期淘宝网客户挂出来的物品，高峰的时候这些主动拍下来的物品堆满了一整间办公室，这样逐渐积累淘宝网初期的人气。[①]

在第七届网商大会上，马云就披露了淘宝网在创业初期一件鲜为人知的往事。据马云介绍，在淘宝网创始初期，创始人团队见淘宝网上没有人气，曾经自己凑物件在淘宝网上拍卖造人气，后来是只要客户挂出来拍卖的物品，他们都买下来，并囤积了一屋子从网上拍来的物品。这足以证明经营企业的艰难。不过，今日的淘宝网已经成为亚太地区较大的网络零

① 李松伟：《马云谈淘宝：创业初没客户　曾自凑商品造人气》，2014 年，见 http://tech.qq.com/a/20100911/000190.htm。

售商圈，其业务跨越C2C（个人对个人）、B2C（商家对个人）两大部分。截至2010年12月31日，淘宝网注册会员超3.7亿人；2011年交易额为6100.8亿元，占中国网购市场80%的份额，比2010年增长66%。2012年11月11日，淘宝网单日交易额191亿元。截至2013年3月31日，淘宝网和天猫平台的交易额合计突破人民币10000亿元。①

马云带领其团队能够取得如此佳绩，与淘宝网这个产品本身有关。因为做企业不是做侠客，必须要得到客户的认可。

在《赢在中国》第二赛季晋级篇第一场中，马云在点评创业选手董冰时就告诫说："做生意不能靠意气感情，我问你为什么选择电动车，你说因为这个行业受打压；做企业不是做侠客，你是觉得电动车将来还是会很有前景，因为它是一个环保产品，美国汽车都做电动车，因为它的市场很好，重要的是你可以为这个市场创造价值，所以你去做。而不是因为它受打压去帮它，你一个人可以这样，你现在带的是一群人，所以这是我的一个想法和建议。总的来讲，我觉得你们四个人给我留下了很深刻的印象，反正《赢在中国》是一个游戏，有人玩三次，有人玩五次，玩到最后，赢了《赢在中国》你未必赢，输了未必输，我参加所有比赛没有一次赢，但是我现在还在努力，这是我给大家的建议，谢谢。

"刚才又听到你讲理念，我这边想给我们这些创业刚刚开始的人一个建议，公司还很小的时候千万别去讲理念，别人不一定会认同你的理念，但是都会按照你说的做。要让别人说你的理念好，自己千万别说我的理念多好，那样就会没完没了地吵架，你吵过了别人，别人就认同，吵不过的就会有看法。因为理念是很难考量的，只有结果可以考量。我认为有结果未必是成功，但是没有结果一定是失败。②"

① 百度百科：淘宝网，2014年，见http：//baike.baidu.com/view/1590.htm？fr=aladdin。

②《赢在中国》项目组：《马云点评创业》，中国民主法制出版社2007年版，第101页。

好产品是做出来的

在创业的过程中，一些企业因为一两款产品的热销而赚取了巨额利润，于是，一些创业者就开始热衷产品的策划，从而失去了踏踏实实做好产品的初衷。对此，马云告诫创业者说："这个理念并不是最值钱的东西，真正值钱的东西是创业者创造的价值，是脚踏实地的结果。"

在谈到创业的话题时，马云告诫大学生脚踏实地。马云坦言，创业不是空想。他说："如果你不去把事情变成现实，那么什么都是浮云。如果你愿意从今天开始改变自己，一点一滴去做，那就不是浮云。我有时候很浪漫，想很多事，但我会问自己，愿不愿意现在立刻马上去干，如果我愿意，它就会变成真的东西。什么是伟大的事？伟大的事就是无数次平凡、重复、单调、枯燥地做同一件事，就会做成伟大的事。"

在 20 世纪 90 年代中后期，由于中国市场不规范，营销人才缺乏，从而导致了一些策划人被"请上神坛"。在这样的情况下，创业者深信只要请一个所谓的著名策划人为一个企业搞一个高明的策划就可以使企业扭转乾坤、起死回生。尽管这样的想法今天仍然还有市场。但是，正是因为这种迷恋策划大师的想法使很多企业走入死胡同，甚至有的企业为了拼命一搏，不惜投入巨资（大多不惜冒承受巨额银行贷款的风险）请一个所谓的著名企业策划人策划一下，想一夜之间发生奇迹，结果都是雪上加霜，更加把企业推上了灭亡的边缘。[①]

事实上，在中国，最不缺的就是高谈阔论的战略家，真正缺乏的是将创业想法付诸实践的实干家。只有踏踏实实地将创业想法转化为商业机遇，才能创造巨大的商业价值。

① 佚名：《企业不要迷信所谓的著名策划人》，2014 年，见 http：//blog.zhiji.com/blog/readblog_485533.html。

在很多企业家论坛上，一些企业家都在高谈阔论说方向和战略，甚至指点江山、激扬文字。然而，不到两年，一些企业家当初热血沸腾地谈到的战略却已时过境迁，诸多想法也不过是过把嘴瘾而已。

面对这样的问题，马云在一些场合回应："做企业不仅仅是做创意，创意是企业运营中重要的一环，但它只是一环，更重要的是要把每项工作落到实处。"

事实证明，很多创业者都喜欢大谈特谈战略，特别是自己的某些管理理念，却往往忽视了实实在在的执行，结果在创业的道路上栽了跟头。

马云在担任中央电视台经济频道《赢在中国》创业导师时，就经常告诫创业者，创业不能停留在理念与幻想上。

在《赢在中国》第二赛季晋级篇第一场中，创业选手石乐华提出了自己的战略设想：走特色化整合道路，把卫浴进行关键性组合，致力于参与行业标准的制定和品牌的建设，进行原始设备生产商加工，甚至将打造中国本土的卫浴知名品牌。

当创业选手石乐华阐述完自己的战略理念后，作为创业标杆、创业指导大师的马云没有极力地批评，也没有过多地指责，而是作出了客观的点评。

在这次点评中，马云充分地肯定了创业选手石乐华的心态和创业激情，同时还极大地肯定了石乐华坚定自己的信念，坚持自己的并购、整合等作为创业者极高的素质。

可能很多创业者认为，马云的成功源于他非常优秀的理念，但是马云却不这样认为，这个理念并不是最值钱的东西，真正值钱的东西是创业者创造的价值，是脚踏实地的结果。马云点评说：

"谈一下我的看法，我感觉你的条理很清晰，心态很好，你的激情跟别人不一样。很多人把创业者看成激情澎湃的人，你对自己的信念非常坚持，坚持自己的并购、整合是有意义的，尽管导师也好，其他人也好，说你不靠谱，你凭什么整合，但是你自己内心信念的坚定很具备创业者的素质。但是我这里想讲的是，在整合的要素当中你讲到理念和信心，我自己这么看，好像理念是挺不值钱的东西，真正值钱的东西就是你创造的价值，脚踏实地的结果。很多人说我有非常优秀的理念，我听太多了，这世界上没有优秀的理念，只有脚踏实地的结果。所以不要用你的理念去整合别人，而是用你创造的价值给别人带来好处。你的项目，就像刚才你讲的一样，需要良好的身体，需要跑长跑，这个项目需要跑长跑，我并不一定认为一定要找 VC，有时候过几年再找 VC 也不错，不一定开始就找。你刚才讲到 VC 投你钱了，你用资本说话，永远不要让资本说话，要让资本赚钱。让资本说话的企业家我觉得不会有出息，真正的是听资本的，但不让他们说话，我就听他们的，他们想干吗，听股东的，最重要的是你让资本赚钱，让股东赚钱。如果有一天你拿到很多钱，你坚持今天的原则，做你认为可以赚钱的，我相信有一天资本一定会听你的。①”

马云在点评创业选手石乐华时，特别告诫他：“不要用自己的理念去整合别人，而应该用自己创造的价值给别人带来好处。”

可以说，马云的这番点评发人深省，正如马云给年轻人创业的三大原则中所言那样：“其实最大的决心并不是我对互联网有很大的信心，而是我觉得做一件事，经历就是一种成功，你去闯一闯，不行你还可以掉头；但是你如果不做，就像晚上想想千条路，早上起来走原路，一样的道理。”

谈起做好产品，马云告诫创业者不仅要从小处虚心学习，更要向榜样学习。马云说：“没法学习比尔·盖茨，没法学习李嘉诚，他们太大太强，你也不知道应该怎么学。真正的榜样一定在你附近，如果你刚开始开小饭馆，你的榜样应该是你斜对面那个小饭馆，它为什么门口排那么长队，而我们的店里服务员比客户多？它是你的榜样。榜样是一点一滴学上去的。”

①《赢在中国》项目组：《马云点评创业》，中国民主法制出版社 2007 年版，第 55 页。

第四章

活下来比做大更有意义

小公司的战略是五个字：活下来，挣钱。但是我觉得打败对手绝对不是战略。你讲战略的时候，你要很清晰地说：我想做什么，我该做什么，怎么做，我的对手的情况怎么样，你能够半分钟把它讲清楚，你只要讲得很清楚，投资者知道你干什么，这就可以了。

——阿里巴巴创始人　马云

一、小公司的战略就是活着

在中国大陆地区，许许多多的创业者都热衷做大做强，似乎没有这样的雄心就可能被认为是小富即安。然而，在马云看来，对于小公司而言，当前最重要的战略就是两个词——活下来，挣钱。活下来，挣钱，比几年之内成为世界500强要重要得多，因为企业都不能生存和发展下去，成为世界500强无疑就成为无稽之谈。

活下去，不死才是硬道理

在公开场合下，有创业者问马云，作为小企业老板来说，其最佳战略是如何的？马云的回答是“小公司的战略是五个字：活下来，挣钱”。

马云的告诫是值得创业者学习的，因为在创业初期，不管是想要做强，还是做大，其最真实的想法就是让初创企业活下去。初创企业只有活下去才可能谈发展；初创企业只有活下去，才能谈规模；初创企业只有活下去，才能寻找企业发展的机会；初创企业只有活下去，才有创业成功的可能。因此，在创业之初，创业者最恰当的战略是为了初创企业能够活下去。

2008年，席卷全球的金融危机爆发，这场危机自然影响了中国的诸多企业。在公开场合，马云同样表达了类似的观点。2008年3月，作为创业教父的马云出席在深圳华侨城洲际酒店举办的阿里巴巴网商论坛，在该论坛上，马云提到中小企业在此次金融危机变局中脱困的方法。马云的观点：“中小企业的战略是什么？首先应该是活下去！”

在当时，由于人民币升值造成的外贸前景不明朗、电子商务面临着前路迷茫、生产成本急剧上升的局面。珠三角区域乃至全中国的外贸企业都期望找到一条切实可行的解决之道。在这样的境况下，马云说："你想干吗，你该干吗和你干多久，三个问题首先要搞清楚。"

在马云看来，中小企业的战略首先就是活下去，坚持到最后就是成功，而眼下的危机应分两面看，有"危"才有"机"。①

之后，在阿里巴巴网商论坛上，马云再次把演讲主题定为"次贷危机下中小企业生存之道"。究其原因，中小企业受美国次贷危机的影响，美国经济增长趋缓，人民币升值压力加大，中国的外贸企业面临美国方面需求减少、外贸交易成本大大增加的局面。特别是一些靠低价优势出口的中小外贸企业面临着前所未有的压力，"活下去"已成为这些外贸企业的首要战略。②

的确，在当时金融危机风声鹤唳的大背景之下，中小企业由于自身的诸多因素，只能择机突围。在这种背景下，马云开场即直言："面对危机，中小企业当前的首要战略就是活下去，不死才是硬道理。"

活下来，挣钱最实在

对于那些即将创业，或者正在创业的人来说，创业的目标要稳健，不宜盲目扩张。因为一旦盲目扩张，创业者可能无法控制其潜在的风险。

在马云看来，如果企业因盲目扩张倒下，还不如活下来，挣钱最实在。在很多创业企业中，我们经常看到一些创业者总是在大书特书其战略目标，甚至有创业者提出"三年超英，五年赶美"——三五年进入世界500强。

① 刘晓燕、王亚宁：《马云：中小企业首先要活下去》，《南方都市报》2008年3月6日。

② 中国新闻网：《马云：中小企业首先要活下去 借次贷危机重新洗牌》，2014年，见http：//www.chinanews.com/it/hlwxw/news/2008/03-17/1194378.shtml。

在2008年，金融危机发生后，扩大内需消费成为拉动中国经济的一驾马车。面对中国13多亿人口的市场，一些创业者都纷纷扩大规模，似乎都在抢占这一潜力巨大的市场，过去某些品牌企业曾犯过的错误，现在的一些创业者正在重蹈覆辙。

在这些创业者看来，13多亿人口的市场足可以大展宏图，因此也不问市场，不做足够的调查，买地买设备，大规模扩充产能。①

殊不知，创业者这样做可能会使企业发展面临隐患，甚至有可能使产品市场陷入疲软。从企业内部来说，盲目扩大规模，企业容易陷入追求数量而忽视质量的误区，低水平重复建设，效率低下。而且，基础不稳固的高速度发展是无法持久的，如果企业扩大规模超出了自身的管控能力，肯定会出大娄子。甚至，表面上规模很大，实际资产却很差，面临种种潜在风险。②这样的担心证明了“活下来，挣钱”战略的可行性。

在《赢在中国》第一赛季晋级篇第二场中，创业选手邵长青，男，1979年出生，硕士，计算机及工商管理专业。其参赛项目是：建立跨行业跨地区通用理财积分交换管理软件系统及数据库系统以打造联合营销平台。在掌握大量的消费者数据和消费行为数据时，联合加盟商户开展各种专门的营销活动并协助商家培养客户的忠诚度。

在节目现场，马云让邵长青用半分钟时间解释其公司的战略。邵长青介绍说：“我公司的战略，首先我的目标，我是中产阶级生活理财第一忠实伙伴，这是我们的使命。而我相信我们有着优秀的团队和终端运营系统，我们两大杀手锏是终端运营系统和高度创新营销服务体系，如果讲这个战略，涉及商业秘密，因为在这个行业中还有两个竞争对手，我能不能这样解释，我只能打败他们，可以吗？”

邵长青接着介绍说：“我想在这个行业中有两家比较强势的竞争对手，

① ②《中国建材报》：《门窗幕墙企业存隐患　切忌盲目扩大规模》，《中国建材报》2011年8月9日。

但是第一家我相信，我为什么能打败他们，第一点，有一家运营商他非常信任，非常依赖于一家专业的信用卡网络体系，他相信他的网络和他的商户资源非常的庞大，但这一点恰恰忽略了他的目标客户，而任何一个盈利的项目一定不能离开客户，关注客户是你成功的必要条件。另外一家，他关注了客户，但他的目标群不够大，更重要的一个瓶颈是他选择了一个承载的载体，比他的目标客户群还要小，所以他不可能成功。而我相信这是两个软肋，而我要运营我的终端运营平台，和高端创新的服务体系去打败他，这是我的强项。”

当邵长青介绍完之后，马云点评说：“我刚才问的是，因为你讲了好几个战略我很好奇，小公司的战略是五个字，活下来，挣钱。但是我觉得打败对手绝对不是战略。你讲战略的时候，你要很清晰地说，我想做什么，我该做什么，怎么做，我的对手的情况怎么样。你能够半分钟把它讲清楚，你只要讲得很清楚，投资者知道你干什么，这就可以了。你刚才讲了几点，你的目标，你的对手，但是我想提醒的就是对手不是战略，不要因为对手去制定战略。”

在马云看来，“活下来，挣钱”是创业企业的重中之重。马云说：“战略包含着很多因素，你刚才讲的不是战略，是下一步的规划。战略有很多意义，小公司的战略简单一点就是活着，活着最重要。”

小公司活着最重要

在中国企业家中，华为创始人任正非是一个不得不提及的名字。在《华为公司基本法》开篇，核心价值观第二条是这样阐释的：“为了使华为成为世界一流的设备供应商，我们将永不进入信息服务业。通过无依赖的市场压力传递，使内部机制永远处于激活状态。”

“永不进入！”这不仅是拒绝诱惑的具体表现，同时也是保证华为这个企业能够生存和发展的关键所在。在华为内部，任正非曾对员工作了一个叫“企业不能穿上红舞鞋”的演讲。任正非坦言，红舞鞋虽然很诱人，就像电讯产品之外的利润，但是企业一旦穿上它就脱不了了，只能在它的带动下不停地舞蹈，直至死亡。任正非以此告诫下属："要经受其他领域丰厚利润的诱惑，不要穿红舞鞋，要做老老实实种庄稼的农民。"

在任正非看来，要想打造一家伟大的公司，在初创时期，活着是最重要的。虽然任正非和马云的个性不同，马云喜欢高调展现自我，经常接受采访和担任创业评委，而任正非异常的低调，几乎不接受媒体的采访，但是他们的经营策略却惊人地相似——小公司活着最重要。

当我们查阅相关资料时发现，马云有非常多的视频资料在介绍小公司活着最重要的观点。比如，在中央电视台财经频道《赢在中国》第一赛季晋级篇第九场中，马云就告诫创业选手菅毅说："对于一个创业者来讲，首要的是解决生存问题，解决就业问题，实现你的理想。等你做成功以后，你不成为社会的负担，你才可以解决自己的负担。"

创业选手菅毅，男，1981 年出生，大专，公共关系专业。其参赛项目是：自由职业服务网。为自由职业者提供服务，同时也为企业提供服务。

这期间，马云问菅毅说："这些人比白领的收入还要高，他们敢做自由职业者的话一般都有客户，他干吗还需要你呢？像自由撰稿人如果都没有一个报社订好一定要他的稿子，他会在家活活饿死，好像我写一万篇没人要我的东西。"

菅毅坦言："我刚才说的我会让你赚我的钱，第二个方面我为什么给他提供服务，给他提供什么服务，他怎么需要这些服务。因为我是自由职业者，2003 年我本身就是一名自由职业者，我们可能不知道亲戚朋友、我们的爱人想什么，但是我们清晰地知道自己想什么，我清晰地知道我想要什么服务，从那个时候我有了这个计划，也开始做这个网站。我清晰地知道自由职业者需要什么，我要他们有活儿做，有钱赚，这是第一点。

"第二点我讲到一个团队的协作，可能有一个人有活儿了，他已经有单子了，一个公司交给他一个设计的案例，可能这个设计案例他一个人根本无法在预定的时间内完成，这时他可以在我的网站上组建临时团队，或者长期团队，我来提供一个团队的协作。”

马云追问说：“我了解了一批自由职业者，大部分人对工作的愿望不是很强，你给他更多的订单他一点兴趣都没有，这正是这些人选择自由职业的原因，他为什么还要挣我的钱？”

菅毅说：“您说得没错，自由职业者是越来越多，多了以后就会有竞争，您在三年之前做，您也有了一定的知名度和一定的圈子了，但后来的人怎么办？我知道您有一个淘宝大学，为什么不把它拆了，可以说我在淘宝很多年了，我对上面的东西很清晰，但是新来的人并不知道，您要告诉新来的人怎么赚钱。

“……首先来讲，他需要服务。他有客户他也需要政策法规的服务、一些善后的服务，像后勤的东西，每个人、每个企业都是需要服务的，包括现在很多成熟的企业，它们仍然需要会计师事务所、审计师事务所、律师事务所的道理是一样的，就是再成功的自由职业者，也需要服务，而且这批人是最愿意花钱买服务的人。”

最后，马云点评创业选手菅毅说：

“我是这么觉得，作为一个领导者不要让别人为你工作，而是应该为了共同的目标或者使命，或者是一个理想去工作，为你工作会很累，绝对不要因为你的人格魅力跟你工作。四个月不发工资不是魅力，是领导者的耻辱，你每次要判断怎么样让你的员工永远发得起工资。我曾经有一次发不出工资，差七天，尽管我的员工说还可以熬两年，但是我尽量不让这个事情发生。还有一点，你是一个非常好的市场推销员和销售人员，最后找合作发挥你的强项，你的推销和谈判能力不错。吴总说你很聪明，聪明是智慧者的天敌，傻瓜用嘴讲话，聪明的人用脑袋讲话，智慧的人用心讲话。所以永远记住，千万别把自己当聪明人，因为最聪明的人总是相信别人比自己聪明，只有这样你才会走得更远、更好。

“第三也不要相信这些投资者的话，你最后上了熊总的一个当，他说你多出来的30万去做慈善事业，你回答如果投资者同意的话我就去做，即使投资者同意，你也不一定去做，因为你知道你现在需要的是生存，这30万对你来说用来生存和发展更为重要。对于一个创业者来讲，首要的是解决生存问题，解决就业问题，实现你的理想。等你做成功以后，不成为社会的负担，才可以解决自己的负担。你自己才这么一点流动资金，投资者说可以就可以，这其实是不对的，千万别相信他们。”

在马云看来，不管中小企业的战略有多大意义，小公司的战略简单一点，就是活着，活着最重要。可能读者还有疑惑，那么在这里来分享一下马云曾经给阿里巴巴全体员工的一封信——冬天里的使命！相信创业者一定有更多的思考和反省。具体内容如下：

各位阿里人：

对阿里巴巴B2B的股价走势，我想大家的心情一定很复杂！今天想和大家聊聊我对目前大局形势和未来的一些看法，也许对大家会有一点帮助。

大家也许还记得，在二月的员工大会上我说过：“冬天要来了，我们要准备过冬！”当时很多人不以为然！其实我们的股票在上市后被炒到发行价近三倍的时候，在一片喝彩的掌声中，背后的乌云和雷声已越来越近。因为任何来得迅猛的激情和狂热，退下去的速度也会同样惊人！我不希望看到大家对股价有缺乏理性的思考。去年在上市的仪式上，我就说过我们将会一如既往，不会因为上市而改变自己的使命感。面对今后的股市，我希望大家忘掉股价的波动，记住客户第一！记住我们对客户，对社会，对同事，对股东和家人的长期承诺。当这些承诺都兑现时，股票自然会体现你对公司创造的价值。

我们对全球经济的基本判断是经济将会出现较大的问题，未来几年经济有可能进入非常的困难时期。我的看法是，整个经济形势不容乐观，接下来的冬天会比大家想象得更长！更寒冷！更复杂！我们准备过冬吧！

面对冬天我们该做些什么呢？

第一，要有过冬的信心和准备！

冬天并不可怕！可怕的是我们没有准备！可怕的是我们不知道它有多长，多寒冷！机会面前人人平等，而灾难面前更是人人平等！谁的准备越充分，谁就越有机会生存下去。强烈的生存欲望和对未来的信心，加上充分的思想和物质准备是过冬的重要保障。阿里集团在经历了上一轮互联网严冬、“非典”等一系列打击后，我们具备了一定的抗打击能力。去年对上市融资机会的把握，又让我们具备了二十多亿美金的过冬现金储备。集团年初“深挖洞，广积粮，做好做强不做大”的策略已经开始在各子公司得到坚决的实施。我想对严冬的到来，阿里人应该拿出当年的豪情：If not now，When ?！ If not me，Who ?!！（此时此刻，非我莫属！）2001 年我们对自己说过：Be the last man standing ！即使是跪着我们也要最后一个倒下！凭今天阿里的实力也许我们自己不会倒下，但是今天的我们肩负着比以往更大的责任，我们不仅仅要让自己不倒下，我们还有责任保护我们的客户——全世界相信并依赖阿里巴巴服务的数千万的中小企业不能倒下！在今天的经济形势下，很多企业的生存将面临极大的挑战，帮助他们渡过难关是我们的使命——是“让天下没有难做的生意”在今天最完美的诠释！我们要牢牢记住：如果我们的客户都倒下了，我们同样见不到下一个春天的太阳！

第二，要做冬天该做的事！

一个伟大的公司绝不仅仅是因为能抓住多少次机会，而是因为能扛过一次又一次的灭顶之灾！2002—2003 年，我们抓住了互联网的寒冬大搞阿里企业文化，组织结构和人才培养建设。今天，我们在感谢去年上市给我们带来机会的同时，也要学会感谢今天世界经济调整给我们带来的巨大机遇。阿里巴巴从18人创业到今天超过一万人，我们的文化、组织和人才建设也在快速增长下面临挑战，但也因此得到机遇，让我们这五年轰轰烈烈地经历了组建淘宝网、支付宝公司、收购中国YAHOO、创建阿里软件、阿里妈妈和投资口碑网一直到去年上市。我们希望有几年的休整时间，感谢这个时代又给了我们一次这样的机遇。

我们经过深思熟虑，决定基于我们一贯“客户第一，员工第二，股东第三”的原则，明确阿里未来十年的发展目标：

（1）阿里集团要成为全世界最大的电子商务服务提供商！

（2）打造全球最佳雇主公司！

要实现以上目标首先要抓住这次过冬的机遇！让我们再一次回到商业的基本点——客户第一的原则，把握危险中的一切机遇。一支强大军队的勇气往往不是诞生在冲锋陷阵之中，而是表现在撤退中的冷静和沉着。一个伟大的公司同样会体现在经济不好的形势下，仍然以乐观积极的心态拥抱变化并在困难中调整、学习和成长。

中国市场的巨大潜力和对世界经济的积极影响力将会在未来世界经济体中发挥越来越大的实质性的推动作用，我们庆幸地看到世界各国的领导人比以往更懂得协同和交流，我们看到全世界在共同面对疾病、海啸、地震、大气变暖等自然灾害上的高度统一，于是我们有理由相信世界各国将一定会在经济发展这个人类社会生存和发展的重要问题上表现出更为积极的努力和智慧。我也坚信这次危机将会使单一依靠美元经济的世界经济发生重大变化，世界经济将会走向更加开放更加多元化！而由电子商务推动的互联网经济将会在这次变革中发挥惊人的作用！“拉动消费，创造就业”必将是我们电子商务在这场变革中的巨大使命和机会。我们坚信电子商务前景光明，并能够真正地帮助我们的中小企业客户改变不利的经济格局。十年以后因为今天的变革，我们将会看到一个不同的世界！

各位阿里人，让我们一起参与和见证这次变革吧！

马　云

2008年7月22日

在日本，北京，上海，杭州的路途中

马云在这封信中坦言，“冬天并不可怕！可怕的是我们没有准备”。的确，在创业道路上，创业者遭遇困难是不可避免的。只要坚持活着最重要，打造百年老店的梦想就可能会实现。

二、做生意要“用情专一”

在很多场合下，马云告诫创业者要专注，究其原因是马云认为：“一个公司在两种情况下最容易犯错误，第一是有太多钱的时候，第二是面对太多的机会，一个CEO看到的不应该是机会，因为机会无处不在，一个CEO更应该看到灾难，并把灾难扼杀在摇篮里。”因此，专注可以集中一切资源达到最理想的战略配置。

做生意要“用情专一”

在很多场合下，马云告诫创业者，要活下去，而活下去最根本的一个法则就是专注。在“2010四川中小企业融资峰会”上，曾经有一个创业者遇到经营困难，期望马云给指点一二。该创业者介绍说，他自己曾经经营过一家酒店，不过只持续了不到一年就倒闭了。其后发现房地产开发很热，购买房子的人很多，于是就经营整体橱柜和卫浴。尽管经营了五年，结果是不但没挣到钱，反而亏损了，前一段时间也倒闭了。由于创业启动资金的原因，也不敢再盲目投资了。后来，该创业者发现山寨手机的利润很可观，便问马云：“是否可以开个手机店？还有就是某地板的市级代理，因为该地板很有卖点，感觉项目还可以。”

当听完该创业者的创业经历后，马云告诫他说：

> 不要怪某个行业不好，天下没有不好的行业，再不好的时代再不好的行业也有好企业，再好的时代再好的行业也有烂企业。所以别怪行业，怪自己，要做正确的事情，正确地做事。心太花，不知道自己要什么，永远追在市场之后，追在今天最赚钱的行业之后，看到这个行业有钱赚，跳进去了，而不是说看到这个行业，你觉得我可以做得更好，你有独特的方法，相信我能为这个行业作出独特的价值，为这个行业的客户作出独特的价值，如果这样想，就可以坚持走下去。你这样做就像猴子掰玉米。先跟你说一个坏消息：你这样的做法肯定要失败；再说一个好消息：绝大部分的失败企业都是因为不够专注。没有信仰，没有坚信市场，看到别人赚钱就进去，很多人也都看到也都跳进去了，这个市场就变小了。如果你没有想清楚为客户做什么独特价值，为了什么而坚信，可以坚持多久，没有找到自己真正爱的事业，还是会失败的。
>
> 做企业一定要专注，要坚持，要有激情，要相信自己可以为客户创造独特的价值，相信自己可以做不一样的事情。

在马云看来，中国很多创业者因为创业成功，主要还是因为专注。反观很多企业的失败就很容易发现，许多公司垮下去，不是因为机会少，而是因为机会太多、选择太多。在很多时候太多伪装成机会的陷阱，使许多公司步入误区而不能自拔。在最近几年，房地产较为火爆。很多企业，特别是中小企业都进入房地产，急切地想在房地产市场上分一杯羹。

尽管房地产非常火爆，然而，马云却无动于衷。在一些场合下，有些创业者非常好奇地问马云为什么不做房地产，做房地产既能扩大经营范围，又能增加盈利。

面对这样的问题，马云回答说："阿里巴巴的资金储备可能在中国网站中是最多的，我们还有十亿元以上的现金储备。很多人讲，阿里巴巴现在有那么多钱，为什么不做房地产？绝对不能这么想。在座的每一个人都要问自己一个问题，一个企业创办的时候，它的出发点是什么。第一天阿里巴巴说，我们专注做中国的电子商务，我们要把中国的电子商务做成全世界一流的，那么我们的钱就是为电子商务服务的。"

在阿里巴巴的发展历程中，尽管有很多较好的商业机会，但阿里巴巴都没有强势出击，只是踏踏实实地发展自己的产业，坚持把阿里巴巴做成最伟大的公司之一。

为此，马云说："现在还是少变化为好，有时候需要变化，有时候不需要变化，前几年是必须要变化，这两年应该是以守为好，守是练内功，可能是最好的选择。"

在马云看来，要想打造成一个百年老店就必须坚持自己的创业梦想，马云说："阿里巴巴的理念是为中小企业服务，这一点永远不会改变。"但马云不满足于仅仅为中小企业提供服务，还想更进一步。[①]

正如马云所言："我将阿里巴巴定位为102年的企业，就是持续成长发展102年。为什么是102年？我们是1999年诞生的，102年是横跨三个世纪，其目标是非常明确的。要做102年的企业肯定会遭遇困境，我认为有三点可以实现：大学是可以存在100多年的，我们一定要办培养企业的大学；企业的文化可以保证阿里巴巴存在102年，企业的文化是企业发展的DNA；投资可以做102年，洛克菲勒集团大家都知道，今天虽然已经没有了，但是钱和理念一直延续着。所以公司要确定102年的思考和建

① 刘彦：《中国新闻周刊评出十年影响力之商界人物：马云》，《中国新闻周刊》2009（12）。

设，这是我未来的希望和信心。”

创业失败是因为不够专注

在公开场合，马云告诫年轻创业者，由于创业者能力较强，想得太多，想做的也太多，这就是很多风险投资人不愿意投资他们企业的主要原因。对于那些刚起步的创业企业，马云告诫说：“人的一辈子很多经历都是为一两件事在努力，如果你能够专注好这个，应该会做得不错。当你的力量还很渺小的时候，你必须非常专注，靠你的大脑生存，而不是你的力气。”

在马云看来，在资金、人才等实力较弱时，必须专注，踏踏实实地做好小公司。在马云的创业路上，从创建阿里巴巴开始，马云就一直专注于为中国所有的中小企业进行网上电子商务服务，其间从未动摇过，即便在网络泡沫破灭的 2000 年前后，他仍然没有动摇，这份做事的执着与专注，是大多数人欠缺的。[①]

马云在很多场合都谈到小公司是未来的主流。然而，《时尚先生》杂志却以“您一直在歌颂小公司，但阿里是个大公司，这，感觉会矛盾吗？”采访了马云。

针对此问题，马云坦言：“歌颂小公司，因为这是我的理想。今天阿里是个相对而言比较大的公司，这是我们的现实。我的理想是相信小公司。事实上，我们自己对自己的拆解比谁都快。淘宝我把它拆成了四家公司。很快，又有几家公司要拆。我们已经拆出十家公司了。而且，我们也不算是集团式的管理，我们现在的管理更像一个组织，我们更像是一个生态系统。这个生态上面养出各种各样的小鸟小兔小猫小狗。我们希望这个社会环境出现这种状况。大和小，怎么说呢，我们歌颂公园里各种动物，但是这个公园如果很小是不行的。我们今天是个生态系统不是一家大公

① 赵文锴：《马云创业真经》，中国经济出版社 2011 年版，第 5—7 页。

司。阿里在建设的是一个生态系统，是一个真正 eco-system。

“今天早上如果你来参加，我们的会议就是对这个组织的思考。我说接下来我们可能有 20 家公司、30 家公司，我们这些不叫公司，是 30 个产业群，没有谁跟谁 report。但是有了这个群以后，边上会有无数个小公司长出来。因为有这棵树，长了很多松果，有了很多松果会招来很多松鼠，形成了这样一个体系。如果你把自己定义为纯粹获取利益的机构，you died。所以，我并不觉得是矛盾的。我一直这么讲，也一直这么坚信，假设我今天重新开始创业，我再也不肯干这么大的公司了。我今天早上醒过来之后，我五点多就醒了，我是真正在想这些事情：要不要再继续干下去？干下去，马上越来越大。这已经不是我们的能力所能控制的。假设今天重新再干过，我愿意怎么干？我愿意在淘宝上干一个小公司，有滋有味，雇十几个人，踏踏实实。这是我觉得我人生最大的快乐和理想。

“但是今天没有办法，现实已经是这个样子。我能把它切成一堆碎片？问题是，AT&T（美国电话电报公司）那时候美国还可以把它拆了。请问中国政府和世界哪个机构能把淘宝拆成碎片？第一是没法拆，第二是拆了之后一千万家企业都没了。你怎么拆呢？这是个现实。”

在马云看来，很多创业者失败的原因就是不够专注，这是因为他们自己没有想清楚“做什么”这个最初始的命题。今天在这儿打一个井，明天在那儿打一个井，最后哪儿也没挖出水，地面上只是留下了许多坑而已。①

研究发现，一些企业在取得阶段性成功之后，往往会大刀阔斧地扩张，因为内心的浮躁和越来越多的机会诱惑着创业者。此刻，不少创业者往往抵挡不住眼前数不清的诱惑，于是就会开始酝酿着涉足其他关联甚至非关联产业，从而高歌猛进地实施企业多元化战略。

殊不知，这样的多元化就像流星一样，尽管非常绚丽，但只不过是短

① 赵文锴：《马云创业真经》，中国经济出版社 2011 年版，第 5—7 页。

暂的瞬间一晃就逝去了，其主要还是创业者本不具备涉足其他关联甚至非关联产业的条件。这一方面由于初创企业本身的条件所限制，另一方面因为缺乏雄厚的资金、人才等诸多资源。

在这样的条件下，涉足其他关联甚至非关联产业，从而进行多元化发展，会因初创企业的战线过于冗长，再加上资源又分散投入，使得初创企业的诸多弊端一开始就显现出来。这样一来，势必就会分散企业对主打领域产品的投入，不仅减弱其研发和推广的力度，使主要业务或者利润竞争力下滑，影响企业整体的竞争力。

反观阿里巴巴，始终坚持专注战略，仅仅在电子商务领域开展相关业务，无论其他机会有多少，均能抵制住诱惑，这是阿里巴巴成为行业领袖的一个重要因素。为此，马云告诫创业者制定企业战略时，最忌讳的就是面面俱到，作为创业者，一定要记住重点突破，所有的资源必须集中在一点，这样才有可能战胜竞争对手，赢得最后的胜利。

马云说："阿里巴巴未来仍然会把主要精力放在电子商务上。这四五年来几乎在所有的论坛上，我都坚决反对多元化经营，我不相信中国哪一家企业可以把多元化经营做得好。99.9% 的企业做不了多元化经营，多元化投资可能会好一点。"

事实证明，当创业企业取得一点业绩就开始涉足其他关联甚至非关联产业，这是不切合实际的。

对于这个问题，马云是这样告诫创业者的："让每一个人都来用我的产品和服务，那是不可能的。定位一定要准确，你才能做好。所以，我给所有的创业者的一个建议是，少做就是多做，不要贪多，把它做精、做透很重要。"

不可否认的是，阿里巴巴能取得如此成就，主要还是马云坚持"制定战略目标永远不能超过三个"的原则。

为此，马云将阿里巴巴作为一个成功案例，其目的是告诫创业者这样一个道理：对于一家企业而言，无论是在初创时期，还是在小有成就之后，面对诱惑，不能贪心，要静心做事，坚持某一领域的深度发展，避免盲目扩张。[①]

专注电子商务

就像俗语“贪多嚼不烂”说的那样，初创企业刚刚做到一定规模就进行跨行业多元化经营肯定是行不通的。

这就是说，作为初创企业创业者，必须将企业做强，然后才能做大，而不可以见到盈利报表就急着向其他行业扩张。眼见房地产赚钱，就去进军房地产；眼见餐饮业前景可观，就去建立餐饮中心；眼见苹果手机供不应求，就去办厂生产手机……

殊不知，贪多是创业者的大忌，会导致一个初创企业涉足每个领域，却又没有在一个领域做成行业第一，往往是战线过长，导致经营不善，最终不得不退回原地。

反观阿里巴巴，马云没有涉足更多的领域，始终围绕着最原始的那个出发点——为中小企业服务，只是专注地做好一件事。

即使阿里巴巴成为众多公司参考的范本而受到万众瞩目，此刻的马云仍然坚持“为中小企业服务”这个战略，把阿里巴巴定位为“具有很强的社会影响力的一家高速发展的小公司”。

在一次经济论坛上，马云告诫创业者说，做生意要“用情专一”。马云专注的经营理念并非一时兴起，而是经过深思熟虑的。马云坦言，尽管不知道今后阿里巴巴会是什么样子，但是在未来的三到五年，他仍然会围绕电子商务发展阿里巴巴，绝对不离开这个中心。在十年的商业历程中，马云十分清楚，自己永远不能追求时尚，不能因为什么生意赚钱就跟着去

① 周星潼：《芝麻开门：成就阿里巴巴网络帝国的 13 个管理法则》，华中师范大学出版社 2012 年版，第 89 页。

凑热闹，这样非常不利于企业健康发展。

2005年8月，阿里巴巴成功地并购了雅虎中国，人们质疑马云并购雅虎中国，是因为要进军网络搜索。其后，马云风趣地回答："阿里巴巴下一步的战略方向是电子商务，永远是电子商务、电子商务、电子商务……"

对于阿里巴巴是否会做门户网站或即时通信，马云说："至少我们现在是在做电子商务，电子商务需要的一切事情我们都在做。"马云又一次表达了自己"专心做一件事"的经营理念，马云不仅反驳了自己跟风之说，并将他和阿里巴巴所做的事情确定为公司的发展目标，而且这个目标显然是一个长期的发展战略。

马云一直孜孜不倦地坚持"专心做一件事"。一个企业管理者看到的不应该只是机会，因为只要有眼光机会总是会有的，企业管理者更应该看到危机和灾难，并把这些危险因素扼杀在萌芽状态。在接受《时尚先生》专访时，马云坦言，做任何事情，都只会围绕阿里巴巴一件事情。马云说：

> 我做任何事情，都只会围绕一件事情：阿里巴巴。因为今天阿里巴巴已经不是我的了。阿里巴巴第一天不是我的，今天不是我的，未来也不是我的。它是无数人的，上千万的人吃饭在这儿。闯祸要闯大祸。
>
> 投资华谊，第一天，我是半点兴趣都没有。真实的故事是王中军找了我一两次，我半点兴趣都没有。后来有一天开会他坐到我边上，他说，马云，来看看我们的华谊公司。我莫名其妙问了他一句话："你到底想赚钱，还是想做大产业，做中国的时代华纳？"我说，如果做时代华纳中国是有机会的。未来中国几个大产业，有一个产业是会增长十倍的，那就是文化产业。如果你想挣钱，我一点兴趣都没有。以前没有，今天也没有。钱越多，责任越大。有那么多钱，你突然发现你要干的事情也多了。因为找

你的人都大了。以前你没钱，没人找你。你有钱以后找你的人都很大，要不就有权，你吃不消。

他说，我想做时代华纳。我说好，如果你想做时代华纳，我们谈谈。我们就开始谈。我说，第一，按照我的游戏规则走，企业不能这样管，要有战略要有管理。因为我看了一下中国几乎所有的传媒娱乐公司，都是当生意在做。那时候他又是卖宝马，又是做广告，必须调整，必须重新梳理。我问中军你同不同意？中军说同意。

我一旦进去以后，我发现，哇塞，他们的创新和创意，是我们这些公司要学习的。要从娱乐公司里学习创新和创意。这是我们这些年没去想的，创新一定在业外。我看他们公司倒不大，开个 party 的样子，哇塞，好像几百亿的公司才吃得消的样子。我就问，你们怎么搞出来的？一个故事，冯小刚吹吹牛，然后就编了个电影，而这个电影那么有意思，那么有乐趣，我突然觉得，我在帮他们的时候，他们在帮我，帮我对很多问题的想象。

这就是投资华谊，我个人乐此不疲。在前面三年，我给华谊很多帮助。我一个月至少花几天跟王中军天天谈，改变他的思想，重塑他的商业模式。后来，再帮他带进一批投资者虞锋等人。我再说服冯小刚要有信心。我说中国一定会有一部电影的票房会过一亿美金。这里面他们也给了我很多，比如，对创新的认识。然后我在公司内部把总监要做的是导演的思想，再灌输进去。这是从华谊学到的。

投云锋基金，同样的道理。虞锋找了我很多次。我说你想明白，你想干吗？赚钱？我没有兴趣，我真是一点兴趣都没有。有一天，他找我，在香港的一座山顶上，走了两圈，一个小时一圈，我们谈，你想干什么，赚钱我真没兴趣。但是我告诉你，中国未来还有一个市场会有巨大增长，是资本市场，社会资本主义，或者资本社会主义。资本为社会服务，而不是社会为资本服务。今天很多纯粹是社会为资本服务，我们要用资本为社会服务，如果你好这口的话，我们可以谈谈。还有一个很重要的原因是，阿里需要优秀的伙伴。我们的职责是围绕小企业发展。中国需要一批新一代的小企业，但这些小企业是需要大量的资金的。它们需要的VC，应该带着的不是VC的思想，而是要给它们带着企业家精神的钱。

我就提出，要干的话，兄弟们一起干，大家不是为了挣多少钱。因为云锋具有三个条件：第一是帮我们管理钱，但最最重要的是找出下一帮人。我看好文化产业，我经常讲，文化的发展才会让中国不是成为暴发户。现在的情况是，有人钱很多，文化没有；然后很多文化人呢，自我感觉特别好，钱又没有。第二是科技互联网。第三是消费行业，内需市场。最重要的是找到哪些年轻人我们可以支持，哪些新行业我们可以支持。大家达成这个共识。然后我做，我跟虞锋牵头，但你干活儿。

在马云看来，有所不为才能有所为，“专注”可以让创业者将所有的资源都凝聚在一个点上。在2005年雅虎（中国）的员工会上，马云就表示在阿里巴巴接手雅虎（中国）以后，阿里巴巴将会专注于电子商务方向，与电子商务无关的阿里巴巴将不会去碰。在马云看来，人一辈子遇到的挑战会很多，遇到的机会也很多，所以一定要有专注的东西，东西多了就会乱。[①]

① 赵文锴：《马云创业真经》，中国经济出版社2011年版，第5页。

三、踏踏实实做一个小公司

在很多企业家论坛上，一些企业家都在谈论如何学习GE（通用电气）的多元化，甚至在很多家族企业创始人的办公室里都有一本关于通用电气前CEO杰克·韦尔奇的自传。从这些企业家借鉴通用电气的多元化来看，足以证明中国家族企业创始人对多元化的迷恋。

然而，遗憾的是，在很多中国家族企业多元化经营中，却面临着一个非常棘手的问题——当家族企业达到一定规模后，创始人就会迫不及待、信心十足地进入一个全新行业中，最后往往不仅新的行业没有达到预期的经济效益，而且原来的主业也因不停被“抽血”而奄奄一息，甚至因此破产倒闭。可以说，半数以上的中国家族企业死亡跟创始人盲目多元化有关。对此，马云告诫创业者要踏踏实实做一个小公司。马云说：“先把自己沉下来，踏踏实实做一个小公司。至于企业多元化发展问题，必须根据本企业的实际情况而定。要少开店、开好店，店不在于多，而在于精，这样才能开更多的店。”

做小企业其实很幸福

研究家族企业死亡时发现，许多中小家族企业迅速死亡的一个致命因素就是家族企业创始人的盲目冒进，结果使得稳健的中小家族企业因为摊子铺得过大而倒闭。

众所周知，一些中小家族企业在发展初期，如果制定了适合的企业发展战略，都会发展得很快，而且还非常稳健。但是，有些家族企业一旦达到了一定的规模，家族企业创始人往往就会自以为是，盲目冒进，从不去听家族成员或者职业经理人的谏言，最终亲手把辛辛苦苦打造起来的家族企业埋葬掉。

马云在参加《与卓越同行》栏目接受吴小莉采访时说："我相信很多人都看过《2012》这个电影，大家发现整个世界的政治在发生变化，经济在发生变化，环境在发生变化。这个世界有钱的人不高兴，没钱的人也不高兴；有事业做的人不高兴，没事业做的人也不高兴。到底发生了什么事情？从我这个行业来看互联网，人类真正开始进入了互联网信息时代。当然，当人类进入信息时代时，一个最大的变革就集中在经济行业，以前在20世纪工业时代，所有的企业都讲究规模、讲究大、讲究标准。现在的企业都开始讲究小、特色、附加值，以前是企业越大越好，今后的企业是越小越好，是小而且美。这是我自己的看法，而且我坚定不移地认为，未来的世界一定是小企业越来越好，大企业越来越累。"

马云的理由是："我记得有一年我去日本，看见一个小店，门口贴了一个条说，'本店庆祝成立147年'，我估计也就小20平方米的一个店，里面卖各种糕点，你看见那老头、那老太脸上洋溢着笑容说'我们家这个店开了好几代了，147年，日本什么天皇啊，什么什么大家族的人，都买我们的糕点'。你觉得特别有一种幸福感。互联网时代速度会发展越来越快，变化越来越快，每一个人，每一个很小的单位，都可以作出以往一个大企业可能做不到的事情。所以，我个人觉得，未来的世界是小的世界，影响中国经济未来的一定是小企业。"

如今，阿里巴巴已经成为巨型企业，马云还是热衷于小型企业，因为小企业很幸福。马云说："我一直觉得做企业做大了，是一种变态行为，姚明这样的身材是不正常的，我们这样的身材也不正常，一般一米七八才正常。对，所以企业必须量力而行。很多人都想成为马云，我觉得成为马云你会很痛苦，今天要我重新选择，我一定不会再做马云，太辛苦了。这是实话，你看我们做大了以后，一会儿要担心资金，一会儿担心规模太大，一会儿员工，一会儿社会上各种事就出来，远远没有幸福感。"

然而，中国大部分创业者喜欢做多，结果都是死在做多上。他们不喜欢踏踏实实做一个小公司，而是始终迷恋做多。

在中央电视台财经频道《赢在中国》第一赛季晋级篇第七场中，马云告诫创业选手周宇说："要少开店、开好店，店不在于多，而在于精。"

可能读者会问，马云为什么会告诫创业选手周宇要少开店、开好店，而不是多开店，按照规模制胜呢？在回答读者这个疑惑之前，我们先来了解一下当时的现场简况。

创业选手周宇，男，1971年出生，中专，仪表维修专业。他的参赛项目是：女性社区连锁店，把女性用品细分出来，开大量的连锁店。

当介绍完参赛项目后，作为导师的马云发问："周宇，你毕业以后到现在为止的工作经历是什么？"

周宇回答说："我的第一份工作是在一个国有企业里当工人，第二份工作是在一个中美合资企业里做销售讲师，第三份工作就是现在自己在创业，已经九年了。"

马云追问说："是什么样的企业？做什么产品？"

周宇回答道："做女性用品，胸围底裤。"

马云继续追问："为什么选择女性用品，怎么想到的？"

周宇介绍说："我最初创办企业是销售化妆品的，这是第一个原因；第二是因为别人都说赚女性的钱和赚小孩的钱比较容易；第三点是，我在1997年年底了解到女性胸围行业处于导入期，快进入成长期了，所以我就投资进入这个行业。"

最后，马云点评创业选手周宇说："周宇，我觉得你特实在。我想给你的建议是，你以后要少开店、开好店，店不在于多，而在于精。你要请一些优秀管理人才来帮你管理，比如，请一个好点的财务人才。我也不懂财务，但我请了一个非常好的CFO（首席财务官）来帮我。一定要建一个好的团队。熊总让你多开店，因为他是做投资的，而我是做运营和管理的。从运营管理的角度来看，少开店、开好店，有一天你才能开更多的店。"

在这个建议中，马云解释了为什么要少开店、开好店，以及投资者要求多开店的深层次原因。在浮躁的当下，很多创业者不顾自己的具体情况，贸然盲目扩张，大规模开店，结果由于后续的资金问题导致整个企业的现金流断裂而倒下。这样的案例可以说是举不胜举。

先做好，而不是做大

2006年，美国《家族企业》杂志发布“全球最古老家族企业榜”显示，这100家长寿企业的专业性或者专一性非常强，例如，金刚组一直从事着寺庙的建设与修缮。金刚家族第40代堂主金刚正和说：“我们公司能生存这么久其实没有什么秘密。正如我常说的，坚持最最基本的业务对公司来说非常重要。”

可能读者不熟悉金刚组这个企业，该企业是“全球最古老家族企业榜”的冠军，至今已有1437年的历史。如今，其规模依然很小，2005年金刚组财政年度收入为75亿日元，员工100名。金刚组这个企业给创业者的启示是，先做好，而不是做大。在《赢在中国》现场点评参赛选手时，马云告诫创业者不要贪大求多，重要的是做精做透。

在马云看来，只有做精做透，才可能做大，否则就如同一座地基不牢靠的大厦，倒下也只是时间问题。

当中小企业发展到一定的规模，要想做强做大，就必须按照企业的实际情况，稳步发展，绝不能盲目扩大规模。如果中小企业老板盲目地扩大规模，必然会犯很多错误，而这些错误就会导致企业遭遇重大经营困难，从而危机重重，这无疑是饮鸩止渴。

在很多论坛上，一些创业者都表示要将企业做大做强，似乎只有将规模做大了，才可能做强。其实，这样的观点是有失偏颇的。

在日本，创办于578年，现存世上最古老的家族企业——金刚组，只不过是日本的一家建筑公司，主营寺庙建设，规模不大，却拥有1437年的历史。而粟津温泉饭店同样历经千年，其规模只有100套房间，能容纳450人入住。在这里，我们先了解一下金刚组这个企业的发展历史。

创办于578年的金刚组，其大名远播世界。其不但是一家日本建筑公司，而且历史非常悠久，拥有1437年的历史，是世界上现存最古老的家族企业。在1955年，金刚组转以有限公司的方式进行经营，然而，由于涉足房地产开发，之后陷入经营困境，在2006年1月，新金刚组放弃地产建设业务，转回建设寺庙的老本行。

然而，在这1437年的历史中，金刚组尽管为了生存而转型，但是最终还是转回老本行。资料显示，位于日本大阪的四天王寺被视为日本飞鸟时代的代表建筑，期间经历七次破坏，屡被修补，至今香火鼎盛，而金刚组的历史就是从建造四天王寺开始的。

578年，日本敏达天皇六年，日本用明天皇的皇子圣德太子为庆祝灭掉6世纪时期的废佛派执政官——物部守屋，祈求法神四天王庇佑佛法及信众，于是下令修建四天王寺。

时值日本飞鸟时代，兴建四天王寺就需要有最尖端的技术。圣德太子下令从韩国百济招请匠人柳重光，兴建四天王寺。

远在朝鲜半岛的金刚组鼻祖柳重光，作为技师被委以重任。在日本书纪中，就有为建难波之寺，自百济国招来造寺工匠的记载。①

在金刚组的发展历史中，主要业务还是以建造佛寺为主。在607年，金刚家族设计并建造了法隆寺。这也让金刚家族名声显赫，可以说，已经达到了日本木造建筑的高峰。四天王寺和法隆寺的构筑施工方法至今还在沿用。其设计和建造方法都记录在金刚组《施工方法汇编》一书里。

由于四天王寺和法隆寺修建的影响，柳重光的子孙亦因兴建该寺而备受重视，由他们组成的金刚组，堂主相当于总裁一职，

① NHK:《日本企业长盛不衰的奥秘》。

至今已传至第40代。金刚组的企业架构分成多个小组，五至八人为一组，各组保持其独立性，互为竞争。小组会集中改良固有技术，接单时总部会评估各组的能力，借以决定哪一组承办工作。他们就能将一根水泥柱，建得像木柱一样。①

金刚家族第40代堂主金刚正和在接受媒体采访时坦言：“我们公司能生存这么久其实没有什么秘密。正如我常说的，坚持最最基本的业务对公司来说非常重要。”

在金刚正和看来，无论是经济繁荣还是衰退，专一于自己的核心业务永远是生存之道。正是因为专注寺庙建设，金刚组才发展至今。

资料显示，在金刚组的发展过程中，由于社会的变迁，金刚组和其他企业一样，历经多次危机，甚至还多次差点倒闭。

金刚组的第一次危机是在19世纪的明治维新后，由于日本明治政府强化脱亚入欧，这就导致了日本人公开反对佛教运动，使得许多寺庙被毁掉，金刚组无疑经营惨淡。

金刚组的第二次危机是在1934年，当金刚组传至第37代时，而世袭传人却无意经营寺庙建设和修建，金刚家族只好任命第37代嫡孙之妻担任堂主，这才避免了金刚组的解散。

金刚组的第三次危机是在第二次世界大战期间，由于日本政府发动了侵略战争，金刚组也因此差点倒闭，而金刚组通过制造军用木箱，这才度过日本侵略战争时期。

金刚组的第四次危机是在20世纪90年代，由于日本遭遇了泡沫经济破灭，使得金刚组的经营异常困难。在1955年，金刚组开始扩张，除建造寺庙、庭园外，还涉足一般建筑的修建，由于过度扩张，造成庞大的负债。

① 佚名：《金刚组》，2012年，见http：//baike.soso.com/v10627212.htm。

在20世纪90年代开始，日本经济开始下滑，特别是泡沫经济破灭之后，日本经济严重衰退，购买力相对下降，而负债巨大的金刚组终于在2006年宣布清盘，资产由高松建设2005年11月创建的同名子公司“金刚组”接管，金刚组重回老本行，专做寺庙建筑。在清盘前，金刚组2005年财政年度收入为75亿日元，有100名员工，经点算后，负债额为40亿日元。[①] 而日本媒体也纷纷报道此事，见图4-3-1。

图4-3-1　日本媒体报道金刚组

对于世界第一的长寿企业金刚组为什么会因负债累累而面临经营危机，一时甚至濒于破产边缘呢？

面对这个问题，时任金刚组第39代的金刚利隆堂主坦言，原因在于没能恪守祖传的戒律。金刚利隆坦言：“这叫遗言书，都是必须遵守的东西。”

在金刚组的家训中，明确谈道：“必须把精力集中在长年来从事的神社佛阁的工作，不可不自量力，提倡埋头本行，严戒盲目多样化经营。”

① 佚名：《金刚组》，2012年，见http：//baike.soso.com/v10627212.htm。

尽管如此，但是由于日本的寺院开始用水泥建筑来替代木质建筑，原因是木制建筑改造费用过于昂贵。

为了维持金刚组的市场份额，金刚利隆会长也开始跻身水泥建筑，然而由于大承包商势力强大，不怕激烈价格竞争，而金刚组却不惜亏本承接工程，这无疑就导致了巨额的亏损。为填补亏损，金刚组又涉足公寓建设，结果使得经营雪上加霜。

为了了解真实的投资决策，日本放送协会以“原本在神社佛阁方面明明拥有一技之长却参与了并不拿手的公寓之类的，而那是劲敌的地盘。有竞争对手，结果怎样呢？”①采访了金刚利隆会长。

金刚利隆承认：“有点招架不住了，但还是想要赢，只好再降价。比如，三亿元的工程，两亿五千万就接下来了。结果赤字越来越大。”

可能读者会问，金刚组原本应该在自己最擅长的领域，就像金刚组遗言书所言“在力所能及的范围内决胜负”的那样。对此，金刚利隆反思说道：“都因为我这样子，过于出头露角了。大家认为这样不行。”

在金刚组的发展中，试图把公司的命运寄托在不能发挥自身一技之长领域的第39代堂主，结果引发了危机。专心致志秉持老本行之重要和艰难由此可见一斑。②

资料显示，金刚组如今在日本大阪当地建筑公司的援助下，已经重建。而重建后的金刚组决心立足本行，开拓业务。

重回本行的金刚组，其名声在寺庙间逐渐传开，业绩也开始渐有起色。不过，金刚组营业课长芦田建司在接受日本放送协会的采访时坦言：“不能因为价格竞争激烈就随波逐流。这样会丢

①②NHK：《日本企业长盛不衰的奥秘》。

失我们的个性，还是应该持之以恒。金刚组的个性，我们的特性，绝对不能忘记。要一直坚持下去，过去是这样，现在也是，未来也是如此。”

从金刚组的发展可以看出，规模不是做大、做强的唯一手段。可以说，如果盲目追求规模，不仅不能做大做强，相反还会使得企业遭遇经营困难。对此，业内专家表示，规模效益并非是单纯地增加规模就能增加效益。其本质是由规模带来成本的下降，产品竞争力的提升，毛利率的维持或者提升。①

不仅如此，当一个企业达到一定规模时，创业者很快会被胜利冲昏头脑，并开始大规模地冒进，而失去了踏踏实实地做好、做强、做大这个企业的兴趣，等到醒悟过来，却为时已晚。与这些企业希望一上手就迅速做大、做强不同，马云认为企业“生存下来的第一个想法是做好，而不是做大”②。

马云在中央电视台财经频道《赢在中国》第一赛季晋级篇第三场中点评创业选手时说：“生存下来的第一个想法是做好，而不是做大。”

其后，针对创业案例中的问题，马云对此点评说：

每个成长型企业都会碰到成长中的痛苦，几乎所有以销售为导向的企业都会遇到先求生存后求发展的问题。一旦生存好了之后就忘记了自己是为了生存。初创企业都希望迅速做大做强，但生存下来的第一个想法应该是做好，而不是做大，这是我们这么多年走下来的经验。

---

① 朱剑平、王春：《亚星化学山东海龙陨落　大股东“抽血”不断》，《上海证券报》2012 年 9 月 25 日。

② 佚名：《马云谈创业：先做好，而不是做大》，2014 年，见 http：//www.cg01.cn/jiaoliu/ganwu/2011/1104/3435.html。

我认为电子商务本身就是一个服务型的行业，是以服务为导向的。服务是全世界最贵的产品，最贵的服务就是不要服务。完善一套良好的服务体系非常重要。丢掉一个大客户不会让天塌下来，如果不利用这个机会去建立一套完善的服务体系，天就一定会塌下来。今天中国的服务是最昂贵的产品。服务是将来的趋势，收费最好，你要想把服务做好，就需要让你的客户不需要服务，形成一套体系和制度，不是去安慰，不是去道歉。

在马云看来，先做好，而不是先做大。一些创业者很好奇地问李嘉诚："凭什么到处投资，做这个，做那个，基本都成功？为什么中国绝大多数人都不成功，你能成功？"

李嘉诚回答说："手头上一定要有一样产品是天塌下来都是挣钱的。"因此，对于任何一个创业者而言，不一定做大，但前提是一定要做好。例如，星巴克咖啡卖了两三百年，15000 家店开到全世界。一定要有独特的想法，等你有独特的想法再推广也来得及。由此可知，那些知名企业最初都有一个最擅长的领域，努力把品牌做强而后再做大。将品牌做好做强后自然有的是机会做大，而如果一开始就迅速做大的话，反而会落到迅速做大的陷阱里面去，最终导致失败。①

不要贪多，把它做精做透

客观地说，商业机会是任何一个企业都希望得到的战略资源。但是，并不是所有的战略资源都可以开发成战略产业。有些战略资源能够形成战略产业，有些战略资源则只能为资本运作和战略结盟提供题材和想象空间，却不适于作为一种战略产业来经营。只有那些特别冷静的战略制定

① 赵文锴：《马云创业真经》，中国经济出版社 2011 年版，第 253—255 页。

者，才不会被冲动和狂热牵着走，才会避开那些伪装成机会的陷阱。[1]

在中国，很多中小企业的战略资源本来就不多，一旦战略失误，必将流失最宝贵的战略资源。对此，三株创始人吴炳新深有感触，他在接受媒体采访时强调："不该挣的钱别去挣，天底下黄金铺地，不可能通吃。这个世界诱惑太多了，但能克制欲望的人却不多。"

马云非常认同吴炳新的观点。在创业的路程中，马云善于区分伪装成机会的陷阱和装扮成陷阱的机会。"专注"的价值不在于今天能够完成多大的销售额，而在于持续地改善，持续地增长，持续地满足需求。一个中小企业经营者有了持续的"专注"，就有了"独自掌握和占有"资源的能力，也就有了领先于大企业在某个区域的能力。虽然有中小企业经营者不认可"专注"的寂寞、价值和潜力，但时至今日做"减法"制胜的案例往往多于做"加法"的，可以肯定地说，正是因为专注，才成就了阿里巴巴和华为等伟大的企业。

在中央电视台财经频道《赢在中国》第二赛季晋级篇第二场中，马云点评创业选手王强说："我觉得你很有能力、也很年轻，不投你的原因就是你想做的东西太多，想得太多，想做的也太多。其实你刚才那句定义（20世纪）80年代创业的话，年轻人创业的时候都会犯的一个错误，我希望每个人来用我的产品和服务，这是不可能的，定位要准确才能做好，对所有的创业者，包括你也有一个建议，少做就是多做，不要贪多，做精做透很重要，碰到一个强大的对手或者榜样的时候，你应该做的不是去挑战它，而是去弥补它，做它做不到的，去服务好它，先求生存，再求战略，这是所有商家的基本规律，你还没有站稳脚跟就去跟人家挑战肯定是不行的，先生存再挑战这样赢的机会就会越来越大。"

在蓝海战略高峰论坛上，马云告诫创业者说："其实我们走了这么多年，这两年人家才说我们好，我认为我们不好，绝大多数中国企业是来得

---

① 王育琨：《任正非的别样视野》，《上海证券报》2007年11月23日。

很快，走得也快，涨得快，掉得也快。我们阿里巴巴一直担心，阿里巴巴有一点不同，一旦我们认定对的事情，我们坚持不懈做下去，做三年，做五年做下去，从阿里巴巴移动到淘宝网、支付宝，到雅虎，我们都认为如果我不做这个市场，我前面的梦想就要破灭了。

“所以我做淘宝网、阿里巴巴、雅虎之后，不做支付宝，前面都是瞎掰。我不相信中国的企业可以多元化经营，多元化投资可以，我认为是因为我的需要，我不做别人就会杀掉我，就这么简单。真的挺难为情，阿里巴巴的成功，跟娃哈哈比，跟林总比，跟沈总比，我都挺难为情，我是红海中的一只小甲鱼。”

第五章

战略的关键就在于落实

有一点要很明确，那就是一切的理念、想法、战略如果不能落实到结果和目标上面，都是空话。你努力一点，我尽力了，他尽心了，最后发现，每个人都捶胸顿足地说，我尽心尽力了，但没有结果。

——阿里巴巴创始人　马云

一、战略没有细节就等于一堆废纸

在中国大陆地区，向来不缺乏优秀企业的战略制定者，但是却缺乏优秀的战略细节管理者。有多少看似非常强大的企业在一夜间成名，叱咤风云三五年，却往往在遭遇到一两个似乎很小的、企业及时采取措施就完全可以控制的“小麻烦”后便如多米诺骨牌一样无情地垮下去，并且是一泻千里，不可收拾。

究其原因，大多数创业者之所以失败，主要是因为创业者没有足够地关注细节。对于那些即将创业或者正在创业的人来说，细节的执行到位对实现整个战略来说有着至关重要的意义。在很多场合下，马云公开表示，细节在战略执行中的关键作用十分重要，他说：“战略没有细节就是一堆废纸。”

战略涉及无数细节

在马云看来，一个再好的战略如果没有细节是没有任何意义的。对此，巨人创始人史玉柱就曾评价说：“在我的眼里，他（马云）是一个战略家，我是一个能具体干事的人。比如，在互联网方面，他能看到未来五年，而且看得很准。我最多能看一年，他能看到五年，这个差距就来了。因为除了网络游戏及网络社区这一块，之外的我没有计划去投资，所以不需要去深入研究它。但是我想知道一些大概的发展方向。所以这个时候，我就直接去问他了。问他之后我就知道个大概结果。”

史玉柱的评价直接给马云的正确战略正名。在马云的创业过程中，他制定的战略都得到了有效的执行，而且还执行得很到位。不过，在马云看来，仅仅有战略是不够的，因为战略涉及无数细节。在中央电视台财经频道《赢在中国》第二赛季晋级篇第八场中，马云告诫创业选手张洪泉说："商业计划绝对不是一个销售计划，里面有无数细节，无数人才的运营。"该场创业选手张洪泉，男，1978年出生，本科，中医外科专业。其参赛项目是：医药电子商务，通过建立医药专业网站群，汇集成医药资讯的门户，最后开拓涉及网上药店与虚拟医院的"数字健康"产业。为了更好地了解张洪泉的创业项目，马云为此询问张洪泉说："招聘方面你提供什么服务？"

张洪泉回答说："招聘方面我们提供三块服务。第一，成为我们的会员，到网站搜索简历库，找到最合适的人才；第二，发布广告，可以得到更好的效果；第三就是猎头服务，如果人才不能满足需求，可以通过我们的猎头服务找人才。"

马云直言："你讲的虚拟医院，我从事互联网14年，听了14年这样的故事，为什么别人做不出来，你就能做起来？中国买药还是比较方便，跑到药店就可以买，为什么到网上买？"

张洪泉反问马云说："买衣服也很方便，为什么还要到网上买？"

而马云关注的问题是："买了衣服不会出问题，买药出了问题怎么办？"

面对这个问题，张洪泉说："这是一个具体细节的操作问题。"

其后，马云点评说："你是一个很好的销售人员，但很多计划听起来信口开河，我讲得重一点，希望你记住，商业计划绝对不是一个销售计划，里面会涉及无数细节，无数人才的运营。你张嘴就来，这儿怎么样，那儿怎么样，我越听越怕，讲得越长漏洞越多。有时你会发现讲了一句谎话，最后要用一百句谎话去掩盖，越盖越乱。

"你需要把自己沉下来，踏踏实实做 个小公司。可以把几个行业网站缩减成一个，踏实做好，团队不在于大，一点点做可能更有机会。你的项目本身不错，但还需要合适的人和合适的时机。网上虚拟医院和网上药店要在中国昌盛起来，还需要很多年。如果时机不到，就实实在在做好一个网站，把团队缩小，认真经营，也许三年以后机会就会来了。"

在马云看来，一个完善的销售计划无疑涉及无数细节，作为重要的指导企业发展和壮大的战略同样如此，因为战略没有细节就是一堆废纸，甚至还会付出惨重代价。

小企业有大的胸怀，大企业要讲细节的东西

在很多创业者中，常常会犯一个致命的错误，那就是战略一大堆，却没有具体执行的战略细节。在马云看来，战略固然重要，一旦没有细节，一切都是空谈，因为没有细节，其方向往往就错了，南辕北辙的事情时有发生，一旦细节上不能贯彻到位，同样会“千里之堤，毁于蚁穴”。①

与马云有相似看法的汇源果汁创始人朱新礼，也曾告诫创业者说：“如果太多的细节出了问题，战略就没法执行。”

可能创业者非常不理解马云和朱新礼的告诫，这主要与中国目前主流媒体的大篇幅报道有关，很多创业者错误地认为，企业只要拥有战略就可以，至于具体实施的战略细节是可以慢慢地细化的。然而殊不知，这样的思维可能引发战略细化完之后，企业的战略机遇期早已错过。

为此，在中央电视台财经频道《赢在中国》第一赛季晋级篇第五场中，马云告诫创业选手林立人说：“小企业有大的胸怀，大企业要讲细节的东西。”

创业选手林立人，男，1963 年出生，本科，工商管理专业。其参赛项目是：网上超市，通过有效的管理并整合优势产品，做“网上沃尔玛”。

在介绍参赛项目后，马云问林立人说：“我觉得《赢在中国》确实是一个好节目。对于很多企业家来说，最昂贵的事情不是钱，更重要的是企业能够把《赢在中国》这种创业的精神传递下去。但是钱也得投，否则这节目就做不下去。简单一点，你介绍了那么多，吴总没听懂，我也

① 佚名：《创业技巧：到底是什么“决定成败”》，2014 年，见 http：//www.jxgdw.com/jxgd/jxcy/cysc/cyxd/userobject1ai673278.html。

不完全清楚，你的客户到底是谁？产品是什么？你怎么赚钱？你现在有没有工厂？”

林立人回答说：“我们原来是加工工厂，生产数码相机，给沃尔玛供应产品。我们原来是有工厂的，随着名气越做越大，很多国内高端客户向我们要货，我们就不再做生产，而是代理了像三星、尼康这些品牌产品，现在在网上进行销售，一个月为他们卖了两百多台产品，不可思议。我们的合作伙伴在深圳的工厂有3000多人，他们也是做数码类产品的。工厂把各类产品都交给我们去代理，我们成了他们的市场部。我们从1985年开始创业，1994年我们的网络销售占总营业额的80%，现在几乎是占了90%以上。”

马云追问说：“你的收入是多少？”

林立人回答：“1994年的时候是1400多万元，2005年做了9800多万元，实现七倍多的增长。不完全是，网络销售是对传统贸易的补充。有些大订单是通过网络找到我们，然后客户过来查看工厂，确认订单。今年会更乐观一些，因为我们有一个儿童手机产品，只有七个键，在全国是首创，这将给我们带来更好的业绩。”

马云继续追问：“我的问题是这样的，你参加《赢在中国》比赛，进前三名的难度肯定比较大，也许你只能拿到300万元风险投资，这300万元对你来说有什么用？”

林立人说：“您说得很对，我参加比赛有三个目的，第一就是弘扬义工精神，我觉得做事先做人，这非常重要。第二，创业是我20年前的梦想，我来自温州，对创业非常感兴趣。创业对我来说太美了，美极了。第三，我是想告诉大家，一定要重视电子商务。”

最后，马云点评创业选手林立人说：

“我觉得都不好意思点评，就说说导师不选你的原因。林立人，你不需要我们选你，对吧。我觉得你是一个很好的市场推广员，一个很好的销售。我要给你一点建议，你的团队从50多个人开始，业务做得不错，越来越好，但是最后50多人走了20几个人。一个优秀的CEO也必须是个优秀的管理者，要多注重细节，从细节管理你的团队，你的团队才会有机会发展。此外，我建议随着你的企业越做越大，讲话也要越来越实在，越来越细。真正优秀的 CEO 和大企业领导者，他们讲东西都很细。小企业有大的胸怀，大企业要讲细节的东西。

“我还要给你一个建议，目标要明确，明白自己想要什么，明白别人想要什么，这样你才可以单刀直入。还有一点，就是说你自己很善良，很有激情，也很幽默，会讲很多的故事，但当你的团队离开你的时候，你需要反思一点，我们需要雷锋，但不能让雷锋穿带补丁的衣服上街去，让他们跟你分享成功是很重要的。”

在马云看来，小企业有大的胸怀，大企业要讲细节的东西，即对于任何一个创业者而言，战略必须注重细节，一旦战略细节脱离战略太远，那么这样的战略仅仅是一个“空中楼阁”式的想法。

战略不等于结果

不可否认的是，对于任何一个创业者而言，企业战略都是不可或缺的。一般来说，企业战略都是一个自上而下的整体性规划过程，往往分为公司战略、职能战略、业务战略以及产品战略等内容。

在战略细分的过程中，层层细分无疑是在将战略细节化，即战略制定之后，从上至下地执行战略目标任务。然而，一些创业者往往不重视战略的细化过程，而是错误地认为只要制定好战略之后，一定能够取得预期的战略目的。

其实，这样的看法是错误的，至少不客观。对此，马云在中央电视台财经频道《赢在中国》第二赛季商业实战篇第三场中告诫创业选手说：“战略不等于结果，制定了战略以后，结果还很遥远，还有很长的路要走。”

在节目开始前，创业选手分为两队。红队成员：3 号李书文、4 号张华、10 号李海镛、6 号陈伟；蓝队成员：8 号冯志刚、2 号牟文建、5 号夏霓、7号窦大海。他们的商战任务是：选手要以橡果国际的名义，通过电视购物的形式，向项目组招募来的目标消费者推广和销售橡果国际的自有品牌——好记星V99数码学习机。选手要在有限的时间内完成从广告策划、拍摄、电话销售以及售后服务的全过程，每队有2000元的经费。本次任务要求选手能够准确地理解电视购物行业的理念和服务精神，同时要求选手在广告中清晰表达产品的诉求，不仅如此，还要看选手在电话营销及售后服务的表现，最后还要记录电话进线量、产品销售量、客户满意度分值和经费的使用效率。

当两队创业选手完成任务后，马云点评说：

“我觉得红队在整场比赛中并没有什么大的不好的地方，大家都很认真，过程也不错，理念搞得也很好，但是结果却失败了。我给红队一个建议：战略不等于结果，战略制定了以后，结果还很遥远，还有很长的路要走。

“三场比赛我们都发现一个问题，没有资源的那些团队都赢了，看起来可能会赢的团队全都输了。骄兵必败，商场上也一样，商场上很多东西看起来要赢，结果都输掉了，因为你不够重视。我们做企业的，每天都如履薄冰，每一天，对每一个项目，对每一个过程都非常仔细认真。所以请大家注意，不管你拥有多少资源，永远要把对手想得更强大一点。

“还有一点，红队比较专注市场调研，这方面做得不错，但关键是你们缺乏对电话销售行业的了解，对此你们并没有去调查。还有就是对资源的利用，对公司所有的人、财、物，这些关键资源都要用到重点的风口上。”

在马云看来，战略制定之后，需要把战略分成若干个细节，再把这些细节执行到位，才能达到预期的效果。

二、战略不能落实到结果和目标上都是空话

在中国，从来不缺乏优秀的战略家，缺乏的是把战略落实到结果和目标上的执行者，因为如果战略不能落实，其实这样的战略无疑是一句空话。对此，马云在蓝海战略高峰论坛上告诫创业者，即使创业者找到了正确的蓝海战略，关键还在于落实到结果和目标上。

战略必须落实到结果和目标上

马云在阿里巴巴多次强调，战略不能落实到结果和目标上面，都是空话。在阿里巴巴任何执行不到位的事情都是绝对不允许发生的。

马云在很多公开场合强调，阿里巴巴的员工是一支执行队伍，如果是一支仅仅只有想法的队伍，那就不符合阿里巴巴的战略思路。

在中央电视台财经频道《赢在中国》第二赛季商业实战篇第四场中，马云告诫创业选手说："有一点要很明确，那就是一切的理念、想法、战略如果不能落实到结果和目标上面，都是空话。你努力一点，我尽力了，他尽心了，最后发现，每个人都捶胸顿足地说，我尽心尽力了，但没有结果。目标不明确，过多关注别人，而太少关注自己的细节，再加上缺乏临门一脚的手段，所以失败了。我们做的是一场营销，而不是让大家去做市场。通过这几场比赛，我觉得队长（牟文建）有很大的问题。今后要当队长和领导的人，一定要清楚，没有一个明确的目标，你下面那批人都会成为没头的苍蝇，转来转去，没有结果。"

在马云看来，创业选手一个致命的问题就是战略不能落实到结果和目标上面，这对于创业者来说非常危险，这样的可怕因素可能给创业企业带来巨大的危机，甚至可能导致创业企业倒闭。因此，在很多场合下，马云

毫不忌讳地说，阿里巴巴的成功，依赖的就是阿里巴巴全体员工高效率的执行力。对此，马云在接受媒体采访时坦言：“阿里巴巴不是计划出来的，而是‘现在、立刻、马上’干出来的。”

马云就曾举例说，在互联网黄页——阿里巴巴成立之前，在中国大陆地区，对外贸易通道主要靠“广交会”、国外展会或依托既有的外贸关系，这样单一的对外贸易渠道无疑影响了中国大陆地区商品的对外销售，而且还在很大程度上受控于中国香港特别行政区的贸易中转。

在20世纪90年代，中国加入世界贸易组织的谈判仍在进行中，尽管中国加入世界贸易组织在即，但是随着中国改革开放的深入，成千上万的中国大陆地区的中小企业迫切需要有自主控制的外贸通道。这就使得传统的对外贸易渠道不能适应新形势的需要，然而，商业意识较为浓厚的马云积极地向当时的外经贸部了解到这一情况后，于是主动地抓住这个巨大的商业机遇。

在1999年，马云果断地创立阿里巴巴公司。当然，阿里巴巴的商业模式也是建立在马云与外经贸部改革实践中探索出来的。在当时，马云的意图很明显，就是将团队从外经贸部中国国际电子商务中心分离出来，将这个团队的精力投入转向做外经贸部的另外一个项目——网上中国商品交易市场。值得一提的是，马云的判断非常正确。马云很快就把“网上中国商品交易市场”这个项目的净利润做到了287万元。

一流执行力与三流创意

如果有一天，作为创业者的你问马云一个问题：“一流的点子加上三流的执行力，与三流的点子加上一流的执行力，哪一个更重要？”

我想这个问题的答案非常简单，那就是三流的点子一流的执行力比一流的点子三流的执行力更有竞争力。

可能读者会疑惑地问，你又不是马云，为什么能够作出这种回答呢？其实，读者的疑惑是有道理的。不过，这个问题马云已经探讨过了。

当初马云见到软件银行集团董事长兼总裁孙正义时，孙正义为了更好地了解马云，就问马云这样一个问题："一流的点子加上三流的执行力，与三流的点子加上一流的执行力，哪一个更重要？"

结果，马云和孙正义两个人都选择了同一个答案——后者远比前者重要。在不到五分钟的见面时间里，马云就从孙正义那里拿到了3000万美元的风险投资。

可能有的创业者觉得孙正义太傻，只用短短五分钟居然把3000万美元投给马云是不是太儿戏。在阿里巴巴上市以前，可能创业者这样的疑问还有些许合理性，然而，当阿里巴巴上市后，孙正义从阿里巴巴豪赚580亿美元，足以说明孙正义的战略眼光。

可能创业者疑问的是，孙正义凭什么敢投资马云3000万美元呢？答案在于马云喜欢一流的执行力加上三流的创意的战略思维。

马云在《赢在中国》第二赛季商业实战篇第二场中，告诫创业选手说："一个一流的创意，三流的执行力，我宁可喜欢一个一流的执行力，三流的创意。"

可能读者会问，马云为什么会这样告诫创业选手呢？在回答读者这个疑惑之前，我们先来了解一下当时的现场简况。

在节目开始前，创业选手分为两队。红队成员：3号李书文、6号陈伟、7号窦大海、8号冯志刚；蓝队成员：1号韩小兵、2号牟文建、4号张华、5号夏霓、10号李海镛。他们的商战任务是：中国牛奶爱心行动——蒙牛爱心牛奶义卖活动。这也是《赢在中国》第一季选手在蒙牛牛奶公益行动中所提出的棒棒相传、星火燎原理念的延续。这一次每队有5000元的活动经费。具体来说，就是为两所贫困小学举行牛奶义卖活动，选手每卖出一箱，就获得一张爱心卡。蒙牛就以消费者的名义送出一箱爱心牛奶，同时爱心行动企业伙伴还会提供各种资源赠予贫困小学。本次任务要求选手在行动中要正确理解牛奶爱心行动的理念，充分宣传公益主题，让目标市场的消费者清晰地认知爱心行动的合作伙伴，有效使用活动经费，然后在规定的时间内，看哪个队能募捐更多的爱心牛奶。

在两组完成任务后，马云点评创业选手说：

“10号（李海镛）呢，我想你可能代表了另两位刚下去的人。如果你发现整个团队越干越累，支离破碎的时候，一定有地方出了问题，但是这些问题我并没有看见你们真正地提出来，做调整。当然我很新奇地看到在资料里边，在整个培训里面，你们都讲到都听队长的，既然夏霓是队长，我们尊重队长。但是如果你发现形势不对，不提出来，就会拖团队的后腿。所以这个要提醒，队员绝对不能让队长失败，不能让团队中任何一个人失败，这就是所谓的团队精神。还有一个，我也不太喜欢一个人老是说应该我下去，尽管你可能觉得自己是应该下去，但是你也应该感觉得出来，这个团队里面有比你做得更差的人，点出更差的人还是很重要的，也是对团队负责任，当然不要带有个人情绪。我觉得你还是做得不错。

“韩小兵呢，我一直认为一个一流的创意，三流的执行力，我宁可喜欢一个一流的执行力，三流的创意。一个没有计划性、不可操作的创意，有的时候只会让大家越来越痛苦，所以从某种程度上来讲，应少创意。要不断地提醒大家，别乱七八糟地想。今天我不是队长，当然幸亏你也不是队长，你要是队长的话，你会让整个队更辛苦。但是我感觉到你想让自己快乐，让团队快乐，但是有时候过头的创意也会让团队伤心。所以，我觉得今后你要关注到这一点，如果你身边的人都认为你要么没用，要么不知道你在干什么，可能一个人说你不服气，两个人说你不服气，很多人在说的时候，你要反省，一定是自己出了一些问题。这是我的看法。”

在马云看来，如果商业创意得不到有效的执行，那么这样的创意是达不到期望的效果的。因此，马云多次告诫创业者说：“一个一流的创意，三流的执行力，我宁可喜欢一个一流的执行力，三流的创意。”

三、制定战略目标永远不能超过三个

在马云看来，在制定战略时，其目标不宜多，永远不能超过三个。对此，马云告诫创业者说："制定战略目标永远不能超过三个，超过了三个就记不住了，员工也记不住了，每年定目标，将重要的一、二、三确定下来，第四个就要关闭掉。而对团队来说很重要的就是七，一个人最多只能管七个员工，超过七一定产生问题。"①

战略目标不宜过多

在"中国家族企业为什么交不了班"培训课上，我发现来听课的好多学员所经营的中小家族企业制定的目标非常多，甚至达到数十个，由于缺乏长远的战略规划和未来的战略设计，最终使得较多的战略目标流产。

在制定战略目标时，马云告诫创业者说："制定战略目标永远不能超过三个。"在阿里巴巴，马云始终坚持"制定战略目标永远不能超过三个"的原则，马云为此曾拒绝过很多诱惑，如短信、游戏、房地产行业，等等。当阿里巴巴收购雅虎中国之后，马云先暂停了一个月两三百万元的小广告，后暂停了每月大概八百万元的无线业务。本打算把网络实名这一项业务也停掉，但是由于客户已缴纳费用，同时也为了兑现承诺，不得不保留下来，但是，前提是清除网络实名中各种恶意功能，并不再主动推广该业务。

① 佚名：《马云：一人管员工最多 7 个》，2014 年，见 http：//www.epjob88.com/ViewArticle.php？id=13684。

可能很多创业者非常纳闷，马云为什么会暂停当时很赚钱的业务呢？对此，马云还告诫创业者说："资金就像一个国家的军队，军队做什么？就是为了定国安邦。只要你有足够的资金，市场会稳定，客户会稳定。你不能让军队空着，你就这里骚扰骚扰，那里骚扰骚扰。所以善用好你的资金，什么资本的运作，所有人都跑到你家门口叫你做这个做那个，那永远不是机会。我永远不相信别人对你说这是好机会，如果他对你说这是个好机会，那你就让他做。人上当就是因为贪婪，永远要知道什么是你做的，什么不是你做的。企业最重要的不是你能做什么，而是要想你应该做什么。要知道，比你能做的人太多了，所以不要问你能不能做，而是问你该不该做，想不想去做。想不想做是一个企业创办的最初的出发点。"

在马云看来，坚持"制定战略目标永远不能超过三个"的原则是不可以改变的。马云回忆说："2002 年，做短信很赚钱，2005 年，网络游戏也起来了，可是我们一直坚持自己的原则，后来当时那些靠做短信、网络游戏的公司倒下了，我们依然还在。当别人都死了，你还活着，这时你就是品牌。"

正是马云坚持"制定战略目标永远不能超过三个"的原则，当阿里巴巴在美国上市后股价一路直升，好评如潮，很多人开始关心其他子公司会不会上市。

针对如此的好业绩，马云在接受媒体采访时坦言："我倒没有仔细想过，因为刚刚有子公司上市就开始考虑下一个，我们毕竟不是卖公司，我们要做的事情还很多。不论是淘宝、'支付宝'、雅虎中国还是阿里软件，要走的路还很长很长。通过这次融资，我们的现金储备超过 20 亿美元，人才储备达到 8000 人，战略布局也刚刚完成。未来几年，我们的目标还是进行中国电子商务的基础建设，形成一个生态链，让更多企业从事电子商务。只有更多的人使用电子商务，我们才有可能成功。因此，我不太想去考虑下一个子公司的上市。"

在马云看来，不太想去考虑下一个子公司的上市问题，因为战略目标不宜过多，永远不能超过三个。在这样的战略背景下，马云带领阿里巴巴一路前行。在 2014 年 9 月 19 日，阿里巴巴在美国纽约上市，成为美股历史上最大的 IPO。

制定战略最忌讳面面俱到

马云多次强调，战略注重细节，并非面面俱到，这是创业者必须要搞清楚的。在中央电视台财经频道《赢在中国》第二赛季商业实战篇第三场中，马云点评创业选手说：

“4 号队长（张华），我觉得你这几场的比赛，尤其在这场做队长，你是面面俱到。其实做战略最忌讳的是面面俱到，一定要记住重点突破，所有的资源在一点突破，才有可能赢，面面俱到那就什么都不可能赢。所以我想给你一个建议，讲话也好、做队长也好，要明白你的出发点在哪里，进攻点在哪里，这才是真正的战略要素。”

在马云看来，面面俱到的战略是不可行的。在实际的创业过程中，总是会遇到各种各样的困难。因此，即使认为完善的战略，也会因此而作出调整，甚至是创造条件来解决创业中带来的各种问题。在一个创业论坛上，一个创业者问马云：“在小型企业资本不大的情况下，如何尽可能在少花钱的前提下，快速地通过网络来发展自己的队伍呢？”

马云的答案是：“今天的网络，不是凭资本打天下，而是靠思想打天下、靠行动打天下、靠团队打天下、靠创新打天下，路还没找到就想着快速是不行的。”

缺少现金流的创业者，在创业中所面临的最大的困难，就是把自己的技术，或者机会转化为货币。否则，一切都是空的，这样的道理同样适用于战略的制定。

在很多创业者意识中，战略是关乎初创企业生存和发展的重要因素，因此，在制定战略时，总是面面俱到。

而马云却不认同这样的做法，马云告诫创业者：“战略其实就是对开展竞争的问题作出的清晰选择。战略主要有三点：第一，要明白谁是你的客户；第二，你为他们创造什么样的价值；第三，你怎么传递这些价值到你的客户手上。”

反观阿里巴巴的战略，专注就是阿里巴巴的企业战略之一。资料显示，马云让 18 名员工变成今天的 8000 名员工，让 50 万人民币变成今天的 200 亿美元，从创业至今，马云的经历可谓商界的一个传奇。①

在这个传奇的背后，就是懂得舍弃。纵观阿里巴巴的发展，马云告诫创业者说，对于任何一个创业者来说，有三个问题至关重要，见表 5–3–1。

表 5–3–1　对创业者至关重要的三个问题

序号	内　容
（1）做什么	在马云看来，第一个问题是做什么。作为一名创业者，必须有梦想，然后是确定该干什么，而不是能做什么。
（2）怎么做	马云告诫创业者，当创业者确定了梦想，就必须去践行自己的梦想，同时还必须懂得舍弃。马云举例说：“阿里巴巴有今天，很重要的一点是九年以来，我们只做电子商务，没有进入其他领域。”
（3）做多久	马云告诫创业者，在践行自己的梦想过程中，“必须要有明确的目标，明白自己最终要做多久。一个企业的领导者必须有眼光、有包容的胸怀。”马云举例说：“有了清晰的目标之后，要坚持信念，阿里巴巴之所以挺到今天，坚持做自己的事非常重要。”

从表 5–3–1 可以看出，在制定战略时，必须考虑创业者选择什么项目，怎么做，做多久及其保证如何盈利的问题。当然，这三个问题是引领创业者创业成功的关键，但创业者不能因为解决这三个问题而把战略制定

①《南方都市报》：《马云授创业经：如何让 50 万人民币变成 200 亿美元》，《南方都市报》2008 年 3 月 7 日。

得面面俱到。正如马云所言："必须要有明确目标，明白自己最终要做多久。"因此，马云在公开场合，告诫创业者说，制定战略目标永远不能超过三个，不要面面俱到，同时还必须记住重点突破，这样才能提升创业成功的几率。

第六章
客户第一，员工第二，股东第三

上市后我们仍将坚持“客户第一，员工第二，股东第三”的原则。我们相信做任何艰难的决定，不管是在过去还是将来，坚持原则才是对各方利益最大的尊重和保护。上市在某种意义上是让我们更有力量去帮助客户、支持员工、守护股东利益。

——阿里巴巴创始人　马云

一、明白客户的需求

在创业的道路上，很多创业者成功创业，是因为他们了解客户的需求是什么，而一些创业者由于不清楚客户的需求而导致产品滞销，最终因销路不畅而停滞不前。可能创业者会问，为什么销售不畅呢？原因还是在于不了解客户的需求。对此，马云告诫创业者说："必须先去了解市场和客户的需求，然后再去找相关的技术解决方案，这样成功的可能性才会更大。"

先去了解市场和客户的需求

阿里巴巴在美国纽约上市后，马云在演讲中说："努力的同事们，感谢所有的客户，感谢所有的股东。"

可能读者会疑惑，为什么先感谢客户，后感谢股东呢？这主要源于，没有客户的购买，也不可能回报股东的投资。因此，在马云看来，客户是公司存在盈利的前提条件，可以说，没有盈利，也谈不上其他。

2014 年 9 月，马云受邀参加美国前总统比尔·克林顿全球倡议年会，不仅如此，马云还与美国前总统克林顿一家人，以及美国商界大佬分享阿里巴巴成功上市的荣耀。其后，马云坦言："我今天想告诉你们阿里巴巴的商业机密，阿里巴巴 70% 的买家是女性，55% 的卖家是女性，这就是我们主要的资源。所以，我要感谢女性，没有你们，阿里巴巴不可能到纽约来上市。"这足以看出马云对顾客需求的理解。

马云的第一次创业即创办海博翻译社。据马云介绍，之所以要办翻译社，主要是基于三个方面的考虑：第一，当时杭州很多的外贸公司需要大量专职或兼职的外语翻译人才；第二，马云自己这方面的订单太多，实在忙不过来；第三，当时杭州还没有一家专业的翻译机构。因此，要想创业成功，就必须清楚自己的客户是谁。

在中央电视台财经频道《赢在中国》第二赛季晋级篇第五场中，马云告诫创业选手说："必须先去了解市场和客户的需求，然后再去找相关的技术解决方案，这样成功的可能性才会更大。"

在节目现场，创业选手王嵩介绍了自己的项目："这是一个广告泛滥的时代，你看到的不一定是你想要的，你真正想要的信息却找不到，这就造成了广告资源的巨大浪费，很被动，因此很多人不愿意投广告。我发现了这样的机会，通过这样的技术搭建一个平台，可以解决广告互动和低效的问题。"

其后，马云发问说："都是江南春惹的祸，全国人民都开始设计各种各样的广告模式。全国到处都是广告，大家都反感，你怎么解决？"

王嵩回答："我们的触摸一体机有三个作用：第一，可以通过这个一体机下载很多MP3、MP4歌曲；第二，可以完成便民的服务，比如，交水电费，买卖股票、彩票等；第三，可以看到很多城市信息，比如，政府公告、旅游信息等。"

期间，史玉柱追问王嵩："江南春的分众广告是逼着人看，在电梯里你只能看墙上的广告。跟它的模式截然相反，你这个触摸一体机是靠吸引大家来看。"

王嵩坦言："对，我靠吸引。因为用户想用这些功能，所以会主动过来查看。分众那种模式是强迫别人去看，比较被动，不容易被大家所接受。我这个模式也有一定的强迫性，当你在使用触摸一体机的时候，上面一直在放广告，你必须得听，必须得看，这是避免不了的。"

马云追问："你说你改变了广告的商业形式，这是什么意思？改变商业形式的目的是为了提升商业价值，你提升了哪些价值？为什么？"

王嵩回答说："举一个例子，马老师今晚在家上网搜索数码相机的品牌，第二天早上你就可以在我的触摸一体机上看到数码相机的信息，通过IP地址可以查到。"

马云提醒王嵩说："如果有人将我上网的信息公布出来，我一定告他，这是隐私问题。我还是问，你这个广告形式提升了什么价值，不要为改变而改变，你改变商业广告形式的目的是什么？"

王嵩回答说："目的就是让大家主动地看我的广告，让这个广告互动起来，而不仅仅是一个电视屏幕，或者被动地看，每次强迫去看。"

当马云问完所关心的问题后，点评创业选手王嵩说："科技型和学者型创业人才经常过分关注技术，一个技术接着一个技术，如果最后不成功就说这个技术不够好。不要因为某个技术而去推广，很多人掌握技术之后感觉很神，然后找人推广。你必须先去了解市场的需求和客户的需求，然后再去找相关的技术解决方案，这样成功的可能性才会更大。史玉柱评委讲到对你的话无懈可击，我也感觉无懈可击，技术人员讲技术的时候都会非常好，因为我们也听不懂。但是只有技术人员真正明白，你的技术解决了什么问题，创造了什么独特价值，你才能够真正做强做大。"

关注竞争者，不如关注客户需求

在当下，很多企业家都把打败竞争者作为一项重要的战略来抓。殊不知，这样做就是本末倒置。

马云认为，一旦了解客户需求，即使打败了竞争者也未必能赢得客户。马云告诫创业者说："我认为，永远不要把眼睛放在竞争者身上，要放在你的客户身上。商场如战场，但是商场不是战场上只有你死我活，而商场上不一定你死了，我就活了。眼睛看着你的是客户，最大支持你的是客户，把眼睛放在客户身上的时候你一定会赢。"

在很多公开场合，马云直言不讳地说："中国企业最忌讳谈竞争，而我的竞争原则是不要把时间花在竞争对手身上，而是要花在客户身上。最后，你的客户越多，更多客户支持你的时候，你就胜利了。"

在马云看来，商场不是战场上只有你死我活，只有赢得客户，才是企业生存与发展的硬道理。反观阿里巴巴，让创业者意外的是，阿里巴巴几乎不关注竞争者，而是重点把精力放在关注客户需求上。正是这样的战略，使阿里巴巴得到了高速的发展。

在一个创业论坛上，一个网名叫“jacky518518”的创业者问马云：“中国的茶饮料连锁店可以做到比星巴克强大吗？您觉得做饮料连锁店，管理、运作模式重要，还是产品质量重要？我们如果要和星巴克抗衡，做一家像它这样强大的巨人，我们需要做什么？中国的茶文化源远流长，茶饮料千变万化，为什么目前没有谁可以和星巴克一决高下呢？”①

马云对此的回答是：“首先，中国的茶饮料连锁店肯定可以做到星巴克那么好。但怎么做到呢？正如你的疑问，管理模式、产品和运营模式，我觉得都重要。产品质量不好，其他东西都不存在了。产品很好，管理很烂，同样不可能做起来。一家公司厉害，绝不可能靠一样东西好，尤其要做到一家强大的公司，那毫无疑问必须是每一样都非常好。有些地方你可以更有特色一点，但必需的要素缺一不可。”

马云说：“重点要说的是，你首先不应该去想，怎么做星巴克那样强大的巨人，而是多去想想我的茶如何能为客户带来独特的价值。眼睛不要盯着对手，要想到的是客户。脑子里想的不是榜样多么强大，而是榜样哪些方面做的是那么细致。星巴克卖的不是咖啡，它卖的是文化，是团队精神。我们组织阿里巴巴高管去星巴克看过，我们感觉最深的是他们认认真真地希望能通过他们的咖啡传递他们的思想，传递他们的文化，传递他们为用户服务的一种精神，是这些东西让星巴克强大。管理、运营模式、商品这些东西固然都很重要，但更重要的是你没看见的东西。”

马云认为，做企业的目的，不是眼睛盯着对手如何强大，如何做生

① 张绪旺：《马云：做生意眼睛要盯着客户》，《北京商报》2010年9月29日。

意，而是盯着客户。马云告诫创业者说：“星巴克在为用户服务，你也在为用户服务，决什么高低呢？你做得好了，自然而然会成为一流的企业，所以想跟谁一决高下的人，都不太容易成功。你要想到的是，我如何学习星巴克把客户排在第一的想法，如何让客户感到他被放到第一位。我觉得我们做任何事情，不要带着莫名其妙的跟谁比、超越谁的想法。而是说，我比昨天更懂得了客户，我比昨天更了解了客户的心理，我比昨天更懂得服务好客户。这些东西是做企业的关键，别动不动就超越谁、打败谁，和谁一决高下。你以为这是打仗和玩游戏吗？做企业的目的，不是眼睛盯着对手如何强大，如何做生意，而是眼睛盯着客户。每天要对客户多了解一点，每天要对客户服务得好一点，每天把自己放在客户的角度上面去做，这个才是最高的真谛。”

明白客户的需求，并为之实实在在地创造价值

事实证明，要想成功创业，创业者就必须把重点放在客户身上，而且还要尽可能地把眼睛盯在客户身上，这对满足客户需求尤为重要。因此，创业者要想赢得客户的认可，就必须明白客户的需要。然而，随着互联网的发展，客户了解的产品和服务信息越来越多，这就使得如今的客户变得更加挑剔。

在这样的背景下，创业者只有搞清楚客户的需求，然后实实在在地为客户创造价值，才能够赢得客户的认可。对此，马云告诫创业者说：“我没有关系，也没有钱，我是一点点做起来的。我相信关系特别不可靠，做生意不能凭关系，做生意不能凭小聪明。做生意最重要的是你明白客户需要什么，实实在在创造价值，并且坚持下去。”

在马云看来，做生意最重要的是明白客户的需求，并为之实实在在地创造价值。马云的话给诸多创业者指明了一条路。面对客户的不满，作为创业者必须倾听来自客户的意见，从而让客户觉得自己的建议得到了创业企业的重视。而马云强调，阿里巴巴致力于为客户提供

最优秀的服务，与客户建立情感上的联系，使客户爱上阿里巴巴，信赖阿里巴巴。

如果当创业企业销售额下降时，作为创业者在此刻不能怨天尤人，必须问自己："是否已经做得够好。"有时客户会拒绝承认自身需求，创业者需要做的则是打消客户背后隐藏的重重顾虑。客户是创业企业最大的支持者，当创业企业真心关注客户的需求，让客户感到舒心时，客源自然不成问题。

对此，马云告诫创业者说："绝大多数做生意的人都想着人家口袋里面的五块钱，看到张三口袋里有五块钱他想'怎么把这个钱弄到我口袋里面'。几乎所有人都这么想。而你希望成就一个伟大企业，希望企业做成像海尔，像GE、IBM、微软这样的企业，你要想的是'如何用我的产品帮助客户将口袋里面的五块钱变成四五十块钱，然后从多出的钱里面拿到我要的四五块钱'。"

二、一切产品都必须倾听客户的意见

我在撰写《日本百年企业的长赢基因》一书时发现，日本很多企业都善于倾听客户的意见，在研制新产品和改良老产品时，客户投诉部门必须参加，一旦该部门没有参加，研制新产品和改良老产品就会无法进行。日本产品能够赢得世界消费者认可，足以证明他们倾听了客户的意见。在很多场合，马云告诫创业者说："其实在公司里面，我觉得核心的问题是要根据市场去制定你的产品，关键是要倾听客户。有时候市场打出去了，到一定程度的时候必须倾听客户的。"

关键是要倾听客户的声音

在21世纪的今天，随着改革开放的深入，人民生活水平得到了极大的提高，过去需求大于供给的时代已经远去。在这样的背景下，创业者要想把产品销售给客户，关键是要倾听客户的声音。

在很多场合下，马云坦言："以前工厂生产东西寻找客户，而现在是客户需要什么东西，工厂按照需求生产。"

在马云看来，随着客户越来越偏向个性化需求，那么作为创业者，只有满足客户的这些个性化需求，才能赢得客户。对此，在2010年9月16日第六届中国（临沂）商品市场峰会上，马云用一个生动的例子来形容21世纪的市场："20年前，一个姑娘到临沂商场去买衣服，营业员说，我们这件衣服卖得特别好，昨天卖出了500件，那姑娘一定会买这件；如果现在的营业员再这样说，那么估计这姑娘就会说'谢谢，我希望临沂就这一件'。"

马云用这样的例子告诉台下的听众：21世纪，创业者要学会倾听客户的需求。马云说，虚拟市场的兴起带来的冲击是巨大的，一种新的经营与销售模式的诞生，迫使企业必须积极改变自己，趋和形势，互联网对信息、情报的敏感度远远超过过去任何一种渠道，因此临沂中小企业尤其是做批发生意的企业必须通过互联网迅速了解消费者，了解客户群体的消费需求。①

在《赢在中国》第一赛季晋级篇第五场上，马云针对"目前，销售部、研发部和生产部现在矛盾重重，如果你是佟先生，你怎样才能打破这种僵局呢？"这个问题点评说："我想谈一点看法，其实在公司里，最核心的问题是根据市场去制定你的产品，关键是要倾听客户的声音。市场打

① 邱小华：《马云：创业者要学会倾听客户的需求》，《市场导报》2010年9月29日。

进去了，到一定程度的时候就必须倾听客户的意见。一切产品，都必须倾听客户的意见，必须搞清楚客户到底需要什么，这样我们才能确定怎么生产，确定如何满足客户的需求。很多企业前面的成功往往为后面埋下了更大的失败，因为他们不清楚自己为什么会成功，像赌博一样，一开始是赢了，第二次还是照原来的套路，但市场和周围的环境是变化的，而他们不了解客户和市场需求的变化。所以，成功了，要了解为什么会成功；失败了，更要搞清楚为什么会失败。”

一切产品都必须倾听客户的意见

马云在公开场合强调，他不会过多地关注媒体对阿里巴巴的褒贬评论，但是，他却非常看重来自客户的评论，不管多忙，他都会仔细翻阅。

马云说：“阿里巴巴曾两次被哈佛选为全球的 MBA 教学案例。他们会派一个人到我们公司至少待五天。这五天对我们所有的经理、部分员工、刚刚加入的新员工和客户都做仔细的调查，然后花两个月写这个案例。每次拿他们案例第一稿的时候，我都觉得这写的不是阿里巴巴。很多人对阿里巴巴的看法很怪，有各种各样媒体的评论，对于媒体的报道我不全看，但是很多会员对阿里巴巴的评论我一定看。”

马云坦言：“其实在公司里面，我觉得核心的问题是要根据市场去制定你的产品，关键是要倾听客户的声音。有时候市场打出去了，到了一定程度就必须倾听客户的声音。现在研发生产部，所有的埋怨都是源于你不了解客户。你不了解客户，而一切产品都必须倾听客户的意见，必须搞清楚客户到底需要什么，怎么生产才能满足这些客户的需求。”

马云认为，没有客户批评阿里巴巴，就没有依据改进阿里巴巴的方向，没有改进，阿里巴巴就不会发展。因此，在阿里巴巴公司，马云把客户的投诉不仅当成一种财富，而且当成阿里巴巴的重要战略，甚至看成阿里巴巴的发展方向。

为此，马云强调不投诉的客户不是好客户，不接受投诉的企业不是好企业。马云坦言："我每天一定看阿里巴巴的网站，每天一定看淘宝的论坛，这里有各种投诉，看到后我心里很顺。你看我们公司接到这么多投诉，肯定做得不错。但如果把这些投诉都解决的话，会做得更好。"

马云建议创业者说："不要迷信技术，而是要将更多的精力放在顾客与市场上。在商场上最大的同盟军是你的客户，把客户服务好了，你就会成功。决定成功的是客户而不是竞争对手。"

在马云看来，一切产品都必须倾听客户的意见。这就决定了对客户的意见必须有足够的重视。在阿里巴巴，对那些没有购买商品的客户同样进行客服，因为这些潜在客户提供的建议能够帮助阿里巴巴发现自身服务的不足。

不可否认的是，有些客户所提建议有时也可能是错的，所以，完全根据客户的要求而改变产品种类和性质也不行。听取某个人或少部分人的片面之词，会给企业的生产带来麻烦。有不少企业因为一味地顺从客户的要求，最后败得一塌糊涂。所以，在为客户服务的同时，企业应有自己的主见。在坚持正确方向的基础上，尽量满足客户的需求。[①]

针对这种情况，马云向阿里人传达的最高指示是："有时候我们公司奉行'客户永远是对的'这一原则，但是，有时候客户是错的，他们不知道你们在干什么。你们是企业家，明白自己在干什么。阿里巴巴是一个商务服务公司，帮助大家在网上达成合作。所以，我对电子商务的交易就是这么一句话概括，'它是一个工具，不是炸弹。使用这个工具，它能帮你把你的产品推广到全国，乃至全世界；它能帮你在网站上收集其他人的信息；它能帮你加强内部的管理和调节'。"

① 周星潼：《芝麻开门：成就阿里巴巴网络帝国的13个管理法则》，华中师范大学出版社2012年版，第167页。

三、坚持“客户第一”

马云在多个场合表示，阿里巴巴感谢所有客户，并提倡全体员工尽全力帮助客户。马云说：“客户第一，员工第二，股东第三。”在马云看来，客户是阿里巴巴的利润源泉，也是生存和发展的一个重要支撑点。

客户是阿里巴巴的拯救者

从马云的很多演讲中可以看到，他时时刻刻都在强调客户对于阿里巴巴的重要性，甚至还称“客户是阿里巴巴的拯救者”。足以看出马云对客户的重视。不管是在互联网经济泡沫破灭的时刻，还是金融危机中，马云都依然坚持“客户第一”的原则。

在阿里巴巴上市前夕，马云在美国纽约接受媒体采访时介绍了阿里巴巴“客户第一，员工第二，股东第三”的战略思想。为此，主持人陈伟鸿采访马云时问道：“让很多人觉得蛮震撼的一个时刻，因为阿里作为体量这么大的上市公司，到美国去，肯定再一次引爆经济圈的很多热点话题，那个时候我看到的不是你，敲钟的不是你，这是出国之前就做好的吗？”

马云坦言，在美国上市，自己不敲钟是之前就想好的。马云介绍说：

> 对，其实我们这次上市是一个很重要的仪式，关于这个仪式，我们自己的合伙人，阿里巴巴的高管有过一次小小的讨论，到底谁上去最合适。其实我们讨论以后，有一个同事提出来，我们这么努力、我们这么幸运地走了15年，我们到底希望什么？我们到底希望谁成功？所以我们完全明白一个道理，只有我们的

客户成功了，我们才能成功，这么努力的目的是让那批小的卖家、小的商家、消费者，那些快递人员，只有他们成功了，我们才有成功的意义，他们成功，我们才可能成功。

我那一刻讲那个观点的时候，阿里的所有人都在鼓掌，就这么弄，就这么干。我记得纽交所的董事长把八个人带到门口，站在我身后，上去的最后一秒钟说请你上去，你确定不上去？我说我不上去了。

在马云看来，客户不仅是阿里巴巴存在的关键，也是阿里巴巴的拯救者。众所周知，在企业界，特别是在引入风险投资时，如果创业者把股东放在第三位，谁愿意投资你的公司呢？尽管颇有争议，但是马云却在公开场合阐释了这样的创业经验。

研究发现，马云提出“客户第一，员工第二，股东第三”的创业经验也不是首次，在国家很多跨国公司中也有类似的说法，例如，美国西南航空对外宣称是“员工第一，客户第二，股东第三”。

在邻国日本，被誉为“经营之圣”的稻盛和夫也有过类似的排序，具体是：“把为了追求员工及其家庭的幸福，作为公司第一目标；位列第二的目标是为了协作商的员工及其家庭的幸福；第三目标是为了客户；第四目标是为了社区；第五目标才是为了股东。”

正是这样的排序，稻盛和夫成功地作出两家世界500强企业。美国投资大师沃伦·巴菲特也有过类似的排序，在《沃伦·巴菲特记事本里的37条管理定律》一书第四章中谈道：“没有满意的员工，就没有满意的顾客。”

从企业本质上来说，企业成立的目的也是满足客户需求，客户是第一；一般来说，股东无法为客户直接服务，而通过员工为客户提供服务，所以员工是第二；员工给客户提供了满意的服务，客户给予企业回报，股东才能获得利润，所以股东是第三。[①]

这就是马云多次在公开场合说“客户第一，员工第二，股东第三”，并且被很多投资者接受的原因，尽管初听这个观点大多数人都很难理解并接受，但是却说明了在管理中的一个简单道理：在任何一个企业中，只有员工才是满足顾客的必要条件。比如，在2001年，正值“互联网泡沫破灭”，整个互联网都笼罩在冬天之中。在“以商会友”论坛上，面对前景的诸多不确定性，也有不少企业家担心阿里巴巴会被投资者控制，甚至有企业家忧心地问，如果阿里巴巴再不盈利，马云也会像其他网站的CEO一样被开除。

面对这样的提问，马云却很自信地回答：“这样的情况不会发生，阿里巴巴创下的业绩得到董事会的赞同和支持，而为这些业绩作出最大贡献的人除了阿里巴巴的员工，还有客户。”

客户始终是放在第一位的

随着纽约证交所2014年9月19日敲响开市钟声，阿里巴巴的上市也将达到高潮，不过与众不同的是，包括董事长马云在内的公司高管都不会上台敲钟。

作为电子商务巨头的阿里巴巴选择了八位客户——从一位华盛顿州的樱桃种植者到一位中国的手镯卖家，登台为2014年9月19日美股交易开锣。

众所周知，让阿里巴巴的客户来敲响上市钟声与马云在招股文件中透露的信息一致，马云在信中称“客户第一，员工第二，股东第三”。

正如彭博社所言，在马云的企业经营中，客户始终是放在第一位的。因为马云明白，不能把以客户为中心口头说说就行了，只有将“客户第

① 佚名：《客户第一、员工第二、股东第三》，2014年，见http：//blog.sina.com.cn/s/blog_4cc7c3f50100kzcn.html。

一，员工第二，股东第三”实实在在地做到位才行。

如果马云不把客户放在首位，客户就可能寻找新的合作者，从而彻底失去客户。2006年，马云告诫创业者说：“我前两天跟雅虎的一个同事交流什么叫以‘客户为中心’。你们在座所有的人记住，这是一个不变的道理，是我从1995年到现在12年的创业经验，以客户为中心，即使前一万个客户是你的CEO在做，前十万个客户是你的团队在做，前一百万个客户是你的十万个客户在做。如果说能够形成客户帮客户，就是你创造价值了。如果客户替你说好话，这东西就是真好；客户不替你说好话，这东西就是假好。”

在马云看来，对于任何一个创业者而言，无论从事哪个行业，企业一旦没有客户就如同鱼没有水一样就无法生存。对于企业而言，客户是维系企业生存和发展的源泉，作为创业者，必须时刻替客户考虑，不能只顾着企业盈利。

一旦所有的客户都倒闭了，作为服务者的企业必然失去了利润来源，必定也会倒闭。阿里巴巴就是这样一个服务者，阿里巴巴之所以得到高速发展，离不开客户的支持和帮助。

如今的阿里巴巴成为行业巨头，自然不可以忘记曾经作出贡献的客户。在2008年金融危机中，马云就曾提出过“要帮助客户渡过难关”。

马云说：“我们对全球经济的基本判断是经济将会出现较大问题。我的看法是，整个经济形势不容乐观，国内很多企业生存将面临极大挑战。接下来的‘冬天’会比大家想象得更长！更寒冷！更复杂！如果我们的客户都倒下了，我们同样见不到下一个春天的太阳！帮这些企业渡过难关是阿里巴巴的使命。”

放弃客户，企业就一定死掉

阿里巴巴在正式向美国证监会递交上市申请书的前几分钟，赴美上市的马云再也按捺不住内心的激动，于是向阿里巴巴的所有员工发了一封畅谈“客户第一”的内部邮件，在该邮件中，马云再次重申了阿里巴巴一直坚持的、卓越的商业理念——客户第一，员工第二，股东第三。

马云说：“15 年来坚持了‘让天下没有难做的生意’这个使命，坚持了我们‘客户第一’的价值观，坚持了相信未来，坚持了平凡人一起做非凡事。

“上市后我们仍将坚持‘客户第一，员工第二，股东第三’的原则。我们相信做任何艰难的决定，不管是在过去还是将来，坚持原则才是对各方利益最大的尊重和保护。上市在某种意义上是让我们更有力量去帮助客户、支持员工、守护股东利益。”

在马云看来，做“客户第一，员工第二，股东第三”的决定，不管是在过去还是将来，都是一个艰难的决定。的确，在很多论坛上，一些企业家都在宣称“客户是企业的衣食父母”“客户是上帝”，然而，在实际的经营中，他们就都给忘记了。

在新加坡举行的 2009 年亚太经合组织（APEC）中小企业峰会上，时任阿里巴巴董事局主席、首席执行官的马云，在会上再度强调“客户第一”。马云告诫中小企业：“每次遇到困难，我都会记住三件事：专注于你的客户，服务于你的员工，向你的竞争者学习。”

称自己为“八个孩子的父亲”（八个子公司）的马云，经历了无数困难，领导的原本 18 人的小公司目前已成为一家中国也可能是世界上最大的电子商务公司。他感慨企业发展不易，尤其是中小企业，但经历无数困难的他强调：“客户第一”是成功的关键。①

在会上马云再度回忆说：“当 1999 年互联网泡沫时，我们什么都没有，唯一让我们坚持下来的就是来自客户的感谢信、邮件。他们说，阿里巴巴必须坚持下去，你帮助了我们，有一天我们也会帮助你。让公司继续下去就是我曾经的梦想。”

---

① 佚名：《阿里巴巴马云：困境记三事，客户依旧第一》，2014 年，见 http://club.china.alibaba.com/forum/thread/view/110_26907586_r98396625.html。

马云最后强调："如果你放弃了自己的客户，你一定会死掉。"在公开场合，马云对"如果你放弃了自己的客户，你一定会死掉"这一说法给出了自己的解释。马云说："阿里巴巴只有坚持'客户第一'，为客户创造持久的价值才有可能为股东创造价值。在新经济时代，让客户满意的最主要因素是我们的员工，没有勤奋、快乐、激情敬业和富有才华能力的员工，给客户创造价值就是一句空话。没有满意的员工队伍就不可能有满意的客户，没有满意的客户绝对不可能有满意的股东。"

事实证明，马云确实做到了这一点。以雅虎为例，2005年，雅虎以十亿美金投资阿里巴巴获得后者40%的股份，到2012年，雅虎出售持有的阿里巴巴20%的股权就获得71亿美元的收入，而雅虎手中持有的剩余的阿里巴巴股份，价值近300亿美元，这笔投资已经成为全球回报率最高的投资案例之一。[①]

① 《新华日报》：《阿里巴巴在美路演首局爆棚》，《新华日报》2014年9月10日。

第七章
做生意不能仅凭关系

我没有关系，也没有钱，我是一点点起来的，我相信关系特别不可靠，做生意不能凭关系，做生意不能凭小聪明，做生意最重要的是你明白客户需要什么，实实在在创造价值，并坚持下去。这世界最不可靠的东西就是关系。

——阿里巴巴创始人　马云

一、商人千万别在红道上混

马云认为，关系不是企业的核心竞争力，关系随时会不存在。只有真正地提升初创企业的经营管理，才能从根本上解决创业失败的问题。对此，马云告诫创业者说："人一辈子要明白钱和权这两个东西是绝对不要碰在一起，当了官永远不要想有钱，当了商人千万别想权；钱和权这两个东西碰在一起就是炸药和雷管碰在一起，必然要爆炸；胡雪岩悲哀就悲在他是红顶商人，中国商人千万别在红道上混。"

"钱"和"权"绝不要碰在一起

在中国大陆地区，关系一度被认为是创业者做强做大的必须要件，在很多创业者看来，只要拥有关系，没有办不成的事情；结果某些创业企业却因为某一两个贪官被查而纷纷倒下。这样的事件不得不引起创业者的深思。

几年前，马云在中央电视台财经频道《赢在中国》做创业导师时，就告诫过创业者，世界上最不可靠的东西就是关系，马云说："我没有关系，也没有钱，我是一点点起来的，我相信关系特别不可靠，做生意不能凭关系，做生意不能凭小聪明，做生意最重要的是你明白客户需要什么，实实在在创造价值，并坚持下去。这世界最不可靠的东西就是关系。"

在马云看来，企业要想做强、做精、做大，必须建立在企业核心竞争力的基础之上，一旦只建立在关系的空中楼阁之上，倒下只不过是早晚的问题。

据《人民日报·海外版》披露，中国大陆地区的官商勾结呈现家族式，在2014年的中央首轮巡视整改清单中，暴露出一系列官商勾结、以权谋私的问题。

该报道称，一些领导干部不再直接从老板手中拿钱，而是通过亲属子女输送利益，或在自己“关照”的企业中入“干股”、当“顾问”。仅新疆一地就查出地厅级干部亲属中31人经商办企业，县处级以下干部中28人经商办企业，县处级以下干部亲属中有849人经商办企业，其他地方也不同程度存在类似问题。[①]

从领域看，官商勾结在矿产开发、土地出让、工程建设、药品采购等多个领域均不同程度存在。宁夏存在领导干部违规插手干预公共资源交易、工程招投标以权谋私情况；山东存在领导干部为他人谋取征地拆迁、工程承揽等利益的违纪违法问题；甘肃一些领导干部插手工程建设，重大工程项目违规操作损失巨大；复旦大学江湾校区基建工程严重违规，存在安全和腐败隐患；河南一些领导干部插手土地转让、工程招投标等收受贿赂问题比较严重。[②]

事实上，官商勾结最大的症结还在于一些创业者或者企业家热衷于用关系来促进企业的发展，殊不知这样的做法会将企业带入一个万劫不复的深渊之中。如果读者对此还有疑惑，我们在这里分享一下马云在“金融博物馆书院读书会”上的发言[③]，节选如下：

> 我相信绝大部分做企业的人都看过《胡雪岩》，这本书我看过两次，第一次看的时候我觉得这哥们挺神的，我特别欣赏他的情和谊，我觉得他情谊非常好。我没什么感觉，这个人身上我能学到的就是情谊。后来过了几年之后我又看了一次，我觉得这个人一定不是我想学习的人，他的悲哀就在于他是红顶商人。到今

①② 尹晓宇、李颖：《一手抓反腐一手抓治本》，《人民日报》2014年10月16日。

③ 马云：《马云2012年10月26日在“金融博物馆书院读书会”上的发言》2012年。

天为止我越来越明白，人一辈子要明白钱和权这两个东西是绝对不要碰在一起，当了官永远不要想有钱，你第一天立志当官就忘掉钱这个东西。你第一天做生意当商人，千万别想权，这两个东西碰在一起就是炸药和雷管碰在一起，必然要爆炸。今天你不玩儿这个都要死，玩儿这个必死。很明白，看了之后也感谢胡雪岩给我指出了一条必死之路。我觉得胡雪岩了不起，但是不要模仿。中国商人要明白，千万别在红道上混。

我觉得沈国军的经历就很坎坷，他很小的时候父母就没有了。长大后，既要照顾家人，又要自己创业，其实在他身上我看到的是浙商的一种精神，我觉得很了不起。第二个，我在跟沈国军合作的几件小事情上，看到他非常低调。我经常觉得做事情赢在细节，输在格局，你要想赢一定要细节做得非常好。沈国军是属于细节做得非常好，格局也不错。

在我们浙商里，沈国军算是一个相当有品位的人，他很讲究生活的品质，写两首诗，看两本我们看不懂的书，去一些很美的地方。大家也见了绝大部分浙商都比较土一点，能干活儿的人一般都很土，像老任一样，老任的长裤十几年没换过。我觉得绝大部分忙的人不太注重自己，沈国军是忙还注意自己，那是很了不起的，我是肯定做不到。而且他讲情讲义，我觉得挺好。

在此次演讲中，马云击中目前创业者热衷官商发展模式的要害，直言胡雪岩的悲哀就悲哀在他是红顶商人。在马云看来，关系特别不可靠，做生意不能凭关系。

然而，一些财经作家、媒体记者、培训师，甚至是企业家都把胡雪岩的官商模式提高到不可或缺的位置，这其实在很大程度上误导了成千上万的创业者，这样的想法和做法都是要不得的。

关系未必就是生产力

不可否认的是，在中国的某些地方，在某种程度上，在某个时段，关系可以促进企业在短时间内扩大规模。但是，一旦企业老板把关系作为一个重要的战略来抓，甚至达到过分迷恋关系的程度，那么企业倒闭也就在情理之中，因为关系不是初创企业的核心竞争力，而建立在空中楼阁上的关系也可能随时会不存在。对此，马云曾多次告诫创业者说："记住，关系特别不可靠，做生意不能凭关系，做生意也不能凭小聪明。"

这样的观点得到了新东方创始人俞敏洪的认可。在 2008 年 4 月 6 日，新东方创始人俞敏洪在创业英雄会上演讲时就提醒创业者："不要抱怨这个社会是要靠关系的，不要抱怨这个社会不公平，既然有这么多不公平，我和马云又是怎么走出来的呢?"

不管是马云，还是俞敏洪，他们创业成功，都靠着正确的市场判断力和敏锐的洞察力，并非关系。因为对于任何一个企业老板而言，获得政府的支持不是企业经营者的终点。

不可否认的是，在某种程度上，拥有广泛的社会资源及其良好的社会关系不仅可以让企业渡过难关，而且还是开拓新市场的一个重要因素。但是，一旦过分依赖关系而忽略了企业的经营，那么企业的倒闭只是迟早的事情。

在浮躁的当下，"关系就是生产力，关系产生影响力"无时无刻不在影响着中国人民。2014 年 10 月，一条新闻再次成为媒体的焦点——安徽蚌埠一中在一块电子屏幕上写着——"热烈祝贺我校女婿埃里克·白兹格荣获 2014 年诺贝尔化学奖"，见图 7-1-1。

图 7–1–1　安徽蚌埠一中的显示频文字

其实，埃里克·白兹格荣获2014年诺贝尔化学奖与安徽蚌埠一中毫无关系，为了找到一点点关联，竟然用该校女婿来攀亲。不错，安徽蚌埠一中校友吉娜是2014年诺贝尔化学奖得主的夫人，见图 7–1–2。

图 7–1–2　埃里克·白兹格夫妇合影

当这一事件一石激起千层浪之后，安徽蚌埠一中在接受媒体采访时表示，这样做完全是为了激励在校学生向优秀校友看齐："我们在对学生做思想品德教育或者优秀教育宣传时，学生看到这个标语，知道了诺贝尔奖得主和他夫人，这样可能联系得更快更直接。"

学者不知道蚌埠一中的学生们从这一标语中获得了怎样的感悟，是否就此离诺贝尔奖的光荣与梦想更近了些？反正，看到这一标语的网友们没有被激励而是"深受刺激"，"原来这样拉关系也可以啊"……其实细细一看，"诺奖女婿"四个字可谓将乡土、宗族、门派、中西文化交流等各种元素尽揽其中，在这一关系面前，什么"同学""老乡""校友""同门""同宗"等一类关系，都简直弱爆了。[①]

其实，安徽蚌埠一中攀亲的事情不是唯一的个案，2008 年，当美国华裔科学家钱永健获得诺贝尔奖之后，中国大陆地区的很多媒体都争相刊发相关报道，在报道时都突出了钱永健的两个"亮点"：一是美国华裔科学家；二是钱学森的堂侄。

对此，学者乔志峰撰文评价说："从'钱学森堂侄'到'我校女婿'，暴露出某些中国人喜欢攀龙附凤的毛病。个人攀附名人，如果只是为了满足一点虚荣心，不去招摇撞骗，大可一笑了之。而某些学校或单位也不能免俗，千方百计跟八竿子打不着的名人攀亲，或许不止是有点'掉价'，还有借机炒作沾光的嫌疑。只不过，如此攀亲带来的并非美誉度的增加，而是自身价值的迷失。"[②]这样的道理同样适用于创业中，一味地热衷关系不仅不能提升创业企业的核心竞争力，相反，还会因为关系而失去做强做精的机会。

作为创业教父的马云在很多场合告诫创业者说："凡是整天热衷于围着政府官员转的企业，很难有大的成就。"随着市场经济游戏规则越

① 李芗：《"诺奖女婿"是关系学思维下的蛋》，《京华时报》2014 年 10 月 16 日。

② 乔志峰：《从"钱学森堂侄"到"我校女婿"》，2014 年，见 http：//news.163.com/14/1016/08/A8LQMH2U00014AEE.html。

来越健全，官商关系就会越来越趋向于规范，那么潜规则的影响力将越来越消减。[①]

在马云看来，关系不是企业的核心竞争力，关系随时会不存在。只有真正地提升企业的经营管理，才能从根本上解决企业竞争力问题。

二、"诺奖女婿"是关系学思维下的蛋

在中国大陆地区，不管是牟其中，还是更多后来者，都热衷于政治，似乎政治比经营企业更重要。可以说，关系学已经渗透在中国的方方面面，也包括企业经营者。不过，这样的行为是不可取的，正如曾火爆一时的诺奖丈母娘一样，有学者称这样的现象为"诺奖女婿"关系学思维下的蛋。我想这样的描述恰如其分。

做好企业是企业家的本分

在很多场合，马云告诫创业者，对于任何一个创业者而言，做好企业是企业家的本分。马云说："无论你在哪里，政府都是一样的，爱他们但不要和他们结婚，不要和他们做生意。"

在马云看来，关心政治可以，但是不和政治结婚。马云说："现在企业家讲话越来越政治，政治家讲话越来越企业家，这个是危险的。"他以他在上海的某一次会议的经历为例，他向政府汇报工作，汇报了五分钟，某官员教他们一个小时怎么做企业。现在政府的人忘记自己是做政府的，企业的人忘掉自己是做企业的，还有很多人忘掉自己做建筑，

① 吴思：《历史上的官商"潜规则"》，2014 年，见 http：//www.chinadaily.com.cn/hqzx/2008-04/21/content_6632612.htm。

忘掉自己是做学术。人们应该在一个共同的价值体系下，我们才会分工合作、互相合作。

马云的观点与联想创始人柳传志的观点不谋而合。在2013年6月，有中国大陆地区“企业家教父”之称的柳传志召集正和岛等十来家公司座谈讨论“抱团跨境投资”时说：“从现在起我们要在商言商，以后的聚会我们只讲商业不谈政治，在当前的政经环境下做好商业是我们的本分。”

在柳传志看来，“只讲商业不谈政治”是当前企业家的生存之道。然而，让柳传志没有想到的是，此言一出，立刻掀起了一场关于企业家该不该谈政治，以及柳传志的言论到底意味着什么的讨论。

一些企业家认为，作为连续两届的中共代表、连续三届的全国人大代表，更是政治中人的柳传志提出的“在商言商”言论违背了企业家精神。在这部分企业家看来，企业家谈政治是企业家的社会责任和超越价值之一，企业家既然拥有那么多的社会资源，就要承担起相应的社会责任。而柳传志这种言论，传递的都是消极的信号。

不可否认，在中国大陆地区，像联想这样带有强烈民族产业标签和政策扶持的公司，其成长壮大与政治脱不了关系。这样的观点是可以理解的，但是企业家过于强调政治，至少我是持反对意见的。

在中国大陆地区，我比较赞同柳传志的观点——只讲商业不谈政治，在当前的政经环境下做好商业是企业家的本分。

研究发现，在中国大陆地区，企业家讲政治似乎能迎合很大的受众，一旦像柳传志这样的企业家提出“在商言商”，突然不讲政治似乎就不能理解。

实际上，中国传统理解的政治和来自西方的现代政治含义大相径庭。那什么是政治呢？我们翻阅史料发现，“政治”一词来自古希腊《荷马史诗》一书中，而当初的含义是指城堡。

在古希腊时代，雅典人往往把卫城修建在山顶上，而称卫城为“阿克罗波里”，简称为“波里”。当城邦制形成后，“波里”就成了具有政治意义的城邦的代名词。因此，“政治”一词一开始就是指城邦中的城邦公民参与统治、管理、参与、斗争等各种公共生活行为的总和。

然而，在中国，“政治”一词在先秦诸子的文集中就曾使用过。比如，在《尚书·毕命》中谈道：“道洽政治，泽润生民”；在《周礼·地官·遂人》中谈道：“掌其政治禁令。”但在更多的情况下是将“政”与“治”分开使用的。“政”主要指国家的权力、制度、秩序和法令，见表7-2-1；“治”则主要指管理人民和教化人民，也指实现安定的状态等，见表7-2-2。

表 7-2-1 “政”在中国古代的含义

（1）	“政”一般是指朝代的制度和秩序，如“大乱宋国之政”。
（2）	“政”又是包含统治和施政的手段的含义，如“礼乐刑政，其极一也”。
（3）	在中国古代，符合礼仪的道德和修养也通常称之为“政”，如“政者正也，子帅以政，孰敢不正”。
（4）	“政”又指朝廷中君主和大臣们的政务活动，如“其在政府，与韩琦同心辅政”。

表 7-2-2 “治”在中国古代的含义

（1）	安定祥和的社会状态，如“天下交相爱则治”。
（2）	统治、治国等治理活动，如“修身、齐家、治国、平天下”。

由此可见，在中国古代，“政治”的含义与古希腊的“政治”含义是完全不同的，其本义是“城邦事务”，指的是公民参与讨论、管理城邦公共事务的总和。而中国政治在很大程度上强调的只是一种君主和大臣们维护统治、治理国家的活动。而中国传统的政治，往往分开使用，政指的是政纲制度、等级和社会秩序；治则与权力相伴，指的是权谋治理。

现代政治所强调的公民意识，对企业家来说则是企业家精神，它应该高于一般的公民意识。企业家所拥有的资源和影响，要和他的社会担当成正比，致力于推动法治环境、权利保护、公平交易等一系列现代社会必备的“公义”，而不是传统的重利轻义、独善其身、浑水摸鱼、闷声发大财等“私念”。①

一些企业家只看重政治中的关于权力的一个环节，却忽视了环境、规则和压力。在这些企业家中，要么就像国美创始人黄光裕一样用贿赂权力、内幕交易等手段迅速累积财富；要么就像徐明一样通过卷入权力构建商业帝国；要么就梦想着成为胡雪岩一样的红顶商人。

然而，让这些迷恋政治的企业家们没有想到的是，他们迷恋政治的最终结果往往是，要么因犯罪而下狱；要么随权力之争而浮沉。

在中国历史上，由于遭受政治的打压，古代一些商人不敢主张自己的权利诉求，反而加剧了对权力的崇拜和恐惧。看权力脸色行事的结果，是中国很难产生伟大的企业家和企业，往往一世而终。②

政府提供的资源是有限的

不可否认的是，获得资本资源对一个企业的成长是至关重要的。很多企业初创时，往往很难获得外部资本、渠道产品研发等的支持。尽管许多创业企业具有较大的发展能力，但是合作者、银行风投等是不会把钱借给或者投给这些企业的。因此，只能靠创业者白手起家和善于利用各种资源。

不过，马云认为，实际上，政府提供的资源是有限的，对于创业者来说，关键要提升企业的竞争优势，而决不能把希望全都寄托在政府的帮扶

① ② 乔木：《柳传志与马云的政治经：在商言商　寻求妥协》，《彭博商业周刊》2013 年 7 月 31 日。

上，否则企业就可能死亡。

清华大学中国创业研究中心副主任雷家骕坦言："一些土地、税收、人才引进等政策，都是对大中型企业做一些'锦上添花'的事情，但很难对小企业、创业企业做到'雪中送炭'。"雷家骕还说："对刚开始创业的小企业来说，不管是不是高科技企业，生存都很艰难。"

在雷家骕看来，企业要生存，首先要有足够的现金流，然后做到逐步盈利，但刚开始创业的企业基本都是亏损的，就是马云创办的阿里巴巴也是先亏损了三年才开始走向盈利。[①]因此，政府的支持在某种程度上来说，不过是锦上添花的事情，创业者需要的却是雪中送炭。

在这样的背景下，对于创业初期的马云来说，提升阿里巴巴的核心竞争力才是王道，而关系并不能真正解决阿里巴巴经营上的问题。因此，马云曾多次告诫过创业者，不管是开拓市场，还是融资，都不要过分地依赖政府，因为过分地依赖政府就势必影响创业者制定科学的战略。特别是在融资方面，马云坦言，在创业融资中，千万不要完全依赖银行贷款，作为创业者必须掌握最便捷的创业融资方式。

为此，马云回顾了阿里巴巴的融资过程。2004 年 2 月 17 日，日本软银集团向阿里巴巴再次投入 8200 万美元。

而当 8200 万美元的融资到位后，阿里巴巴的发展犹如"猛虎加之羽翼，而翱翔四海"。可以说，该笔风险投资是阿里巴巴发展过程中获得的最大的单笔投资，同时阿里巴巴获得 8200 万美元的投资创造了中国互联网历史上最大的单笔私募纪录。

这个纪录被媒体作为采访关键问题时，马云的回答更加让媒体大惑不解，马云说："你们应该恭喜的是我们的投资者，而不是我们。"

或许，马云这样做必然有自己的想法。在很多场合下，马云都认为，

①《中国青年报》:《马云谈离沪初衷：回杭州能得到更多重视》,《中国青年报》2008 年 3 月 3 日。

阿里巴巴之所以能够得到高盛、软银的投资，不仅靠的是实力，还与自身的个人魅力和他所领导的团队有关。

在马云看来，开拓市场也好，融资也罢，他都坚持“不过分依赖政府和银行”的原则，同时对大部分投资者是不买账的，因为马云要寻找的是能够与阿里巴巴共同成长的策略投资者。

阿里巴巴能够熬过冬天，又能够异军突起，马云非同寻常的融资之道是重要原因。如今，马云融资已成为业界传奇。在这传奇背后藏着马云的融资秘籍：先人后钱、事先钱后、以我为主、战略至上。①

三、世界上最不可靠的东西就是关系

在很多创业者的意识中，关系通常都是生产力。殊不知，这样的看法非常荒谬。创办任何一个企业，其最终的商业目的就是要得到较多的利润。对于那些将关系作为发展企业核心竞争力的创业者，马云强调：“不要相信关系，世界上最靠不住的就是关系，你需要做的就是保证对你的客户的真诚度和满意度。要想创业成功，踏踏实实地经营企业。”

做生意不能凭关系

对于创业者而言，最核心的问题还是把企业做强、做精，而不是凭借一时的关系把企业做大。柳传志在《南风窗》发表专栏文章《企业家不希望中国爆发革命》坦言，企业家的本分就是做好企业。柳传志说：“比如，有的人看到了局部某些不公正的东西，就不停地抱怨或是‘呐喊’，结果

① 佚名：《不要过分依赖政府和银行》，2014 年，见 http：//www.cnwnews.com/html/chuangye/cn_cykt/20111218/393577.html。

顾不上自己的企业，企业垮了。企业家要记得自己不只是一个人，肩上担负的是企业里更多人的责任，企业垮了，是对股东和全体员工的不负责任。因此，我要记住自己的本分，把自己的企业办好。”

的确，持该观点的马云同样认为，做生意不能凭关系。马云的观点非常有代表性。毕竟中国经过30多年的改革开放，市场正日趋饱和成熟，法制也日益健全和完善。如果企业老板还是按照僵化的思维去经营，那么这样的老板无疑是在自我毁灭。马云在多个场合提醒企业老板，在20世纪80年代的中国，创业靠勇气就可以成功；在20世纪90年代的中国，创业靠关系就可以成功；而在21世纪初叶的中国，创业必须靠知识能力才能成功。如果创业者还有疑虑，可以看看下面这个真实的案例：

> 在2004年秋季，当媒体再次采访云南民营经济史上少有的风云人物、昔日的云南“钛王”罗志德时，让媒体记者吃惊的是，这位昔日的“云南企业之父”如今坐在空荡荡的办公室的一张旧沙发上，而且还手握一根拐杖——这个正值壮年的企业家已经行动不便了。
>
> 而当年颇具规模的血制品车间如今却显得凋敝不堪，就算是在路达低谷期为饲养蜗牛挂上去的大招牌——“蜗牛庄园”四个字也已经锈迹昭然。
>
> 当初罗志德意气风发，尽管只是一个科技人员，但是敢于辞去公职。1985年，他创办“云南路达科技开发总公司”，这期间的十几年，路达是靠着几个高难度的飞跃一路蹿至巅峰的。
>
> 客观地说，罗志德还是一位具有社会责任的企业家。当创业成功之后，罗志德在云南教育学院成立了一个路达企业家学院，为云南培养了不少企业家。
>
> 在1992年，创业成功之后的罗志德，只不过提出了在云南省会昆明盖一座56层大厦的想法。之所以定为56层，罗志德在

接受媒体采访时谈道，主要是中国有56个民族。大厦的一层就代表一个民族，从而彰显中华民族的大团结。

在20世纪90年代，罗志德并没有真想建这个56层的大厦，仅仅是自己的一个想法而已。然而，罗志德建56层大厦想法的事情却让地方有关领导知道了。

地方有关领导为了促进地方发展，于是将这个56层的大厦赋予了非同寻常的意义。

在地方有关领导的授权下，“特批”一块位于昆明市中心面积达100亩的土地给路达公司建56层代表56个民族的大厦，而且有关部门还在昆明市郊给了罗志德200亩土地。

此刻的罗志德没了退路，只好按照地方有关领导的意图去执行。不过，按照当时路达公司的实际情况，根本就没有能力建这座56层代表56个民族的大厦，而路达公司向银行贷款又没有足够的抵押物。

于是，罗志德只好以发行股票筹资的办法来修建代表56个民族的大厦。仅发行股票的头三天就筹集了2000万元。

罗志德原本以为这样的方法可以解决资金短缺的问题，然而，罗志德发行股票筹资的事情却被一个记者得知。于是该记者写了一份路达公司乱发股票，扰乱金融市场秩序的内参。路达公司被勒令立即停止股票发行。

没有了资金来源，代表56个民族的大厦自然也就没有盖起来，这样地方有关领导也对罗志德有了些许看法。

从此，路达公司的麻烦就像溪流的河水一样源源不断涌来，曾经平安无事的矿山开采也开始遭到有关部门三番五次的检查，原来安分守己的村民也开始不断来矿上滋事。以前这样的事情，罗志德只需要向有关领导汇报一下，所有问题也都会迎刃而解。让罗志德想不通的是，因为没有能力修建代表56个民族的大厦，而今相关领导也不再庇护他了。最要命的是，路达的钛矿采选厂和其他非法矿厂一起被有关部门勒令关停。钛矿采选厂是路达的生命线，也是罗志德赖以起家的本钱。采选厂完了，也就意味着路达完了，罗志德完了。

在这个案例中，罗志德的做法跟当年史玉柱的做法如出一辙，一个是要修建代表56个民族的56层高楼，一个是要修建中国大陆第一高楼，这两栋楼最后的结局都是烂尾。类似的案例警示创业者，当创业成功之后，合作者、银行风投等知道创业者的经营能力了。此刻，创业者要做的不是拉关系，而是提升企业的核心竞争力。

在上述案例中，罗志德也遭遇了类似的问题。因此，过于热衷“关系”，不仅把高速发展的企业引入倒闭的深渊中，而且也为自己谱写了一个悲惨的大败局，这样的案例让每一个创业者惊醒。

当然，马云之所以告诫创业者做生意不能凭关系，是因为马云也有因为关系而导致失败的经历，这也为马云的再次创业提供了可以值得警示的教训。

关系特别不可靠

2013年6月，柳传志“在商言商”的一番言论，掀起了一场关于“企业家该不该谈政治”的热议。

热议的观点主要有三：第一，“在商言商”是小看企业家的能量和影响力。远大集团董事长兼总裁张跃表示，“在商言商”其实是小看自己能量和影响力的表现。

第二，可以选择不说话，而不应该“以其影响力说这种话”。北京一家基金管理公司董事长王瑛认为，作为“企业家教父”的柳传志可以选择不说话，而不应该“以其影响力说这种话”，否则，带的不是好头而是坏头。

第三，不关心社会不关心政治系片面理解。信中利资本集团创始合伙人兼首席执行官汪潮涌则认为，不关心社会不关心政治系片面理解，“在商言商”的说法并非就是“两耳不闻窗外事，一心只赚企业钱”。

在这三个观点中，我比较赞同汪潮涌的观点。不过，柳传志之所以提出“在商言商”的观点，是因为改革开放后中国的整体在趋好，但会有反复。一段时间的国进民退或对某些企业家判决的争议，会影响人们的判断。其实柳传志在不讲政治时，提到“在当前的政经环境下做好商业是我们的本分”。他所谓不讲政治，其实是最大的讲政治，即寻求政治安全。

这是在政商江湖闯荡多年的柳传志，年逾古稀收山时的一种无奈。①

好在越来越多的人明白了这个道理。在共识网关于“柳传志呼吁企业家不要谈政治”的千人民调中：2% 的人认为企业家的天职是赚钱，做好自己的事就是对社会的贡献；9% 的认为中国的政治太复杂，企业家应该远离政治，否则容易身败名裂；而 39% 的认为每个公民都应该关心政治，这既是权利也是义务；更有 48% 的认为良好的商业环境离不开稳定的政治和公正的法律环境。②

在这场“在商言商”的争论中，足以看出该事件引起了企业界不小的震动，很多商界大佬参与到企业家是否应“在商言商”的讨论中。截至目前，已有不少大小企业家发声力挺柳传志的说法。宗庆后亦发表言论称：“企业家是弱势群体，管不了天下。”

对于任何一个创业者来说，不管是开拓市场，还是融资，很多创业者都把过多的精力放在政府和银行身上。

其实，这样的做法是不可取的。马云坦言，在创业融资过程中，家人、亲戚和朋友才是年轻人创业融资最便捷的选择。马云说：“阿里巴巴至今未拿过银行和政府一分钱，我当初一家家（银行）敲门，一家家被拒绝。”

---

① ② 乔木：《柳传志与马云的政治经：在商言商　寻求妥协》，《彭博商业周刊》2013（7）。

在中央电视台财经频道《赢在中国》第一赛季晋级篇第六场中，创业选手翟羽坦言：“钱是肯定没有的，这个问题不想这么回答你马老师，因为我曾经跟田园老师说过，聊了很久，他非常支持我，最后他给了我一句话，他说如果没有一个在商场中有名望有地位的真正的企业家推荐你的话，也许你就不会成功，但是他说了推荐你也许会改变你的后半生。”

针对此，马云点评说：“翟羽，我觉得你非常聪明，我给你一些建议，这世界最不可靠的东西就是关系。因为没有钱，没有团队的时候要靠关系，我们这些人都一样，尤其是我，我更没有关系，没有钱的。记住，关系特别不可靠，做生意不能凭关系，做生意也不能凭小聪明，做生意最重要是你知道客户需要什么，你试试再创造下去，一定要坚持下去，一定会有机会。”

马云之所以这样说，绝对是有道理的，也许正是他这么多年闯荡商海的经验之谈。在争取风险投资时，马云一直强调：“不要相信关系，世界上最靠不住的就是关系，你需要做的就是保证你的客户的真诚度和满意度。”

对此，马云多次指出，要想将企业做强做大，就必须放弃“关系就是生产力”的想法，踏踏实实地经营企业，这样的话，企业做强做大的可能性比找关系要大得多。

第八章

融资是个技术活

不要从创业第一天起就想着融资，在没有盈利之前也不要去想，绝大部分企业在没有盈利之前融资是不正常的。做企业，首先要想到的是没有融资我也能盈利，等你盈利了，想扩大盈利的时候，就会有人想要投钱了。没有盈利的时候想说服别人投资，投资人多半会说：“等你盈利了再说吧。”

——阿里巴巴创始人　马云

一、六分钟融资4000万美元

在美国硅谷，流传着一个较为著名的“餐巾纸”融资模式。一般地，只要创业者在咖啡馆的餐巾纸上写下自己的创业想法和商业模式，往往就可以拿到一笔不小的风险投资。这样的经历马云也同样有过，在阿里巴巴第二笔风险投资的过程中，马云的融资过程依然被渲染为一个“神话”。这个“神话”是，马云竟然用六分钟就赢得了孙正义4000万美元的风险投资。当马云用六分钟赢得全世界最成功的互联网投资人4000万美元的投资时，马云和阿里巴巴对此还犹豫不决，最终只融资了2000万美元。

融资就是个加油的过程

要想有效地解决中小创业企业融资困难的问题，必须驱动中小创业企业的内部融资途径。如果过分地依赖融资来提供发展引擎，那么还是不能从根本上解决其融资难的问题。对此，马云告诫创业者说：“融资就是个加油的过程，如果路程很短又何必加这个油呢？阿里巴巴上次融资融到了2500万美元，到现在我只花掉了一个零头，还有2000万美元一分没动。所以我只有花2000万美元的本事，给我一个亿元我花不出去。什么意思？融到资，企业就要上规模，我只有管100个人企业的本事，你一下子给我一家500人的企业，我只能把它做垮。”

在马云看来，钱太多了不一定是好事，人有钱才会犯错。马云说：“投资者老是希望投更多的钱，我们现在每月都以一种双位数的规模在成长，无论是销售额还是利润，我们不需要钱，钱太多了不一定是好事，人有钱才会犯错啊！”

在很多创业企业中，由于诸多原因，融资非常困难。做了15年皮具厂的厚街冠顺皮具厂老板廖发球想过很多办法贷款，但都失败了，自焚死在自己的办公室。廖发球哀叹：“为什么我们中小企业一年养活几百工人，给政府纳税几百上千万。当我们需要仅仅100万资金周转时，却得不到任何帮助。”

可能读者会问，马云和廖发球在融资时为什么会出现天壤之别呢？这主要缘于马云的融资观念——在公司最赚钱的时候去融资。马云说：“首先要想到的是没有融资我也能盈利，等你盈利了，想扩大盈利的时候，就会有人想要投钱了。没有盈利的时候想说服别人投资，投资人多半会说：‘等你盈利了再说吧。’对那些今天盈利情况很好的企业，你们要记住，一定要在你很赚钱的时候去融资，在你不需要钱的时候去融资，要在阳光灿烂的日子修理屋顶，而不是等到需要钱的时候再去融资，不然你就麻烦了。所以，在你不需要钱的时候去融资，这就是融资的最佳时间。

“阿里巴巴创业是从50万开始的。阿里巴巴刚成立的时候，上亿资本的企业也很多，但当时的那些企业现在怎么样了？阿里巴巴现在怎么样？钱是资源，不可以没有，但光有钱一点用都没有！”在马云看来，做企业，首先要想到的是“没有融资我也能盈利”，这才是正确的道路。

理性地对待融资

2014年9月8日，阿里巴巴全球路演正式在美国纽约拉开帷幕，马云在开场时就提到了他1999年去美国为阿里巴巴融资的经历。马云说：“15年前，我来美国想要200万美元，但被30家VC拒绝了；今天我又来了，就是想多要点钱回去。”

众所周知，在当年，马云怀揣梦想遍访美国东西海岸，但年轻的阿里巴巴没有得到一位投资人的青睐。时隔15年，这一次阿里巴巴有望在美国最高融资243亿美元，将超过VISA在2008年上市创下的179亿美元的美国 IPO 融资额纪录，成为美国历史上的融资之最。①

然而，马云让阿里巴巴赴美融资的情况和如今很多中小创业企业遭遇银行“嫌贫爱富”的融资瓶颈形成冰火两重天的对比时，马云是这样解释的：“这个不是主要原因，上市是个自然过程，阿里巴巴不是为了钱上市，阿里巴巴绝对不是为上市而上市，融资是很容易的事情，如果我们需要钱我们还可以融更多钱，但是创办一家伟大的公司真的比上市更为重要。比如，很多上市企业今天为了迎合华尔街的需要，必须时刻为了季报、半年报、年报活着，但是由于考虑到投资者，今天对阿里巴巴来说，我不需要为季报、半年报、年报忧虑，我们做我们认为对的事情，我只要说服五个投资者就可以，而不是说服华尔街 5000 人。”

在马云看来，要想解决“小企业的资金之痛”的问题，必须正确地理性地对待。马云表示，阿里巴巴从创业至今未拿过政府和银行一分钱，因此他鼓励中小企业通过自身发展解决融资难题。②

马云说：“很多人知道我花了六分钟说服了孙正义，为阿里巴巴融到了钱，但却只有很少人知道，在这六分钟之前我遭到多少回绝，甚至冷言冷语。”

马云回忆起阿里巴巴成立初期，当年为了给阿里巴巴融资，马云与蔡崇信赶赴美国硅谷，七天里见了 30 个风险投资者，结果所有人都对他们说 NO，甚至说这是最愚蠢的商业计划。那次的美国行，没有给阿里巴巴带回资金，但是马云却带回了梦想。③

马云说：“我们可以有一万种理由安慰自己，我不成功是因为我没有钱，因为别人不理解我、不支持我，绝大部分的人会为失败找借口，很少为成功找方向，我们创业者应该学会为成功找方向。”

---

① 葛唯尔、关健、戴金鸿：《阿里路演捧场者多　光等电梯就 40 分》，《第一财经日报》2014 年 9 月 10 日。

② ③《扬子晚报》：《马云炮轰银行贷款嫌贫爱富》，《扬子晚报》2009 年 9 月 14 日。

缺钱时绝不能融资

在马云的融资思维中，融资必须是在企业最赚钱的时候，缺钱时绝不能融资。可能创业者非常疑惑，缺钱不融资，难道是神经病吗？

在马云看来，融资是一门大学问，创建阿里巴巴时，从创业启动资金只有50万元，带领“十八罗汉”起家开始，马云就重点谈道：“启动资金必须是闲钱，不许向家人和朋友借钱。”

马云用自己的融资经验告诫创业者，在阿里巴巴的融资过程中，他总在强调，不是马云在找融资，而是钱在找马云。马云说：“我们不会跟基金去要钱，从1999年开始，我们对风险投资的选择就很严格。”

马云的告诫似乎与很多创业者的做法迥然不同，在众多创业者的意识中，只有缺钱的时候才是融资的最佳时期。比如，在房产中介服务行业工作十年的胡志刚决定创业。让胡志刚没有想到的是，在他转战互联网创业时，就遭遇诸多难题。

根据胡志刚介绍，在2009年，他开始组织团队研发专业的找房网站，并于2010年年初上线。

该找房网站的定位是，地产中介服务商和经纪人，但在该找房网站推广初期，无法形成盈利，使胡志刚的年内把网站推广到20个城市的雄心勃勃的计划遭遇了囊中羞涩的尴尬。

胡志刚纠结于何时融资的苦恼，正是中国万千小企业在创业初期因“缺钱”而进退维谷的真实写照。这样的呼声很快在“云计划”中得到超过万人的点击和关注。[1]

针对胡志刚等创业的融资误区问题，马云告诫创业者：“不要从创业

① 张绪旺：《马云：小企业不要急着圈钱》，《北京商报》2010年6月2日。

第一天起就想着融资，在没有盈利之前也不要去想，绝大部分企业在没有盈利之前融资是不正常的。”

这是创业导师马云对胡志刚等创业者出现的融资误区问题给予的直接警告。马云说：“对我而言，私募挺好的，只要企业做得好，资金不是问题。”

在马云看来，融资时必须时刻保持高度清醒，因为钱不过是工具，不是最终的目的。马云在《赢在中国》的节目中点评选手时说：“永远不要让资本说话，让资本赚钱。让资本说话的企业家不会有出息，最重要的是你让资本赚钱，让股东赚钱。如果有一天你拿到很多钱，你坚持今天的原则，做你认为可以赚钱的事，我相信有一天资本一定会听你的。”

在高盛投资阿里巴巴 500 万美元的两个月后，软银要投资阿里巴巴，但这次投资并不是找投资人获得的，而是马云跟孙正义的一次见面。他讲了自己对互联网的理解和对电子商务未来在中国的发展。六分钟后孙正义就听懂了，马上要给马云 4000 万美元，马云竟然说不行。为什么孙正义在那么短时间内就决定给他钱？有两个最重要的原因：一是马云要做的事情让孙正义完全看到了未来的前景，对互联网未来的看好是孙正义超越普通投资人的最重要原因。二是当时的马云并不是以一个急需钱的创业者的身份出现的，因为此时他口袋里已经有高盛等机构的投资款，所以他在跟孙正义讲时，是一个正常的交流互联网前景的状态。这样一个轻松的状态让他没有心理负担，没有压力，交流起来轻松自如。在这种状态下当然能完整地表达自己的想法。①

① 凤凰网：《起底“准首富”马云的第一桶金：六分钟融资 4000 万美元》，2014 年 9 月 9 日，见 http：//tech.ifeng.com/a/407948850.shtml。

二、与风险投资共同承担风险

在15年前，作为初创企业阿里巴巴的创始人马云亲赴美国硅谷试图融资，让他没有想到的是，被30名风险投资家全部拒绝。在阿里巴巴赴美上市之前，马云在演讲中戏称："今天我又来了，就是想多要点钱回去。"简简单单的一句自嘲，饱含了马云在融资路上的艰辛，但也透出了马云的睿智。然而，是什么技巧让马云融到243亿美元的资金呢？答案就是与投资者共同承担风险。

融到的不是钱，是信任

融资是横亘在成千上万创业者面前的一道坎，很多创业者因为没有融到期望的资金，创业企业经营困难重重，而一些创业者顺利地拿到风险投资，其发展速度一日千里，最终成为一家伟大的公司。在这些伟大的公司中，阿里巴巴就是其中之一。

不可否认，阿里巴巴之所以能够成为伟大的公司，是因为马云能够坚持自己独特的融资理念。在阿里巴巴的融资中，从当初的500万美元到243亿美元，马云可以说在15年里，书写了中国企业传奇的融资之路。

众所周知，在多次融资中，马云正是用信任打动了风险投资者，不管是高盛的第一笔风险投资500万美元，还是六分钟打动孙正义融资4000万美元，足以看出马云的坦诚。

阿里巴巴在美国纽约上市前，马云在发表讲话中分享其融资经验时说，今天阿里巴巴融到的不是钱，是信任。在马云看来，信任才能融到更多钱，否则，必然会被投资者抛弃。马云讲话的内容如下：

大家好，我觉得今天是一个非常里程碑的日子，其实要想说的话非常多，但是今天也不知道该从哪里说起，心里充满着感恩、感谢，谢谢所有的人，所有参与过阿里巴巴今天还在阿里巴巴努力的同事们，感谢所有的客户，感谢所有的股东。

我相信今天一天，今天所发生的事情，对大家一生都有很大的意义，我希望大家一会儿在敲钟仪式的时候，每个人关注一下我们敲钟的八个客户，我们努力 15 年的目的，是让他们站在台上，我们努力 15 年的目的，是希望他们成功，因为我们相信只有他们成功了，我们才有可能成功。

今天阿里是一家很有运气的公司，我们这家公司的运气来自于客户，运气来自于互联网，运气来自于中国，运气来自于我们每个人的努力。所以未来的 15 年，未来的 87 年，我们坚持要感恩这个时代、感恩互联网、感恩中国、感恩中小企业。

最后我也希望大家能够坚持把我们的生态系统做得更加完善、更加好。我们相信今天我们有说不完的感恩，唯一做好最佳的感恩就是用行动去做、做得更好。

所以我在纽交所，今天大家说纽交所就像我们的“双十一”，无数人为此付出巨大的代价和努力，从明天开始，我们的路程会更加艰难，全世界在关注我们是不是在坚守我们的信诺，今天我们融到的不是钱，我们融到的是信任，是所有人对我们的信任，客户的信任、时代的信任、投资者的信任。所以我希望大家能够对得起这份信任、对得起我们自己心里面从第一天起的梦想。

所以再次感谢大家，感谢所有的亲人，没有你们家的亲人，没有你的太太、你的先生、你的爸爸妈妈，没有孩子的支持，我们不会走到今天。所以一如既往，阿里人要走的路很长，今后加入我们的也会很多，离开我们的也会很多，但是不管发生任何事情，坚持理想、坚持使命、坚持做我们认为对的事情，感谢大家，晚上好，一会儿我们敲钟见。

在马云看来，只有风险投资者信任创业者，才会放心地投钱给创业者。马云说："私募首先是基于一种信任，双方关系不会因一些分歧而崩溃，好处是可以专注于做该做的事，完成战略布局，不必为了使报表好看而一门心思埋头想着盈利这个头疼的问题。"

对此，中外网际育成执行长蒋重光在接受媒体采访时提醒创业者说："在创业之初，创业团队与投资人希望有一个相互了解的过程。我们现在希望通过建立这样的一个平台，让双方在上面有一个互动，前提是知道对方想要的是什么。很多创业者从他的出发点去考虑，写了一大堆商业计划书，但可能投资人根本就不想看，只是因为投资人对创业者的感觉不对，他们可能就是凭着直觉。我们愿意帮助想创业的人通过正确的方式圆创业梦想。如果创业者能够通过一种更为正确的方式与投资人沟通，那么获得的投资可能是六亿六千元。"

跟风险投资共担风险

在引入风险投资时，马云在公开场合谈到，很多风险投资也热衷于看文凭。马云说："我一直说如果我能成功，那么世界上80%的人都能成功。创业时，那些风投投钱也是数文凭的，如果团队里面有几个哈佛，几个斯坦福，基本上就是高科技了；其次就是清华、北大，我们这样的土八路，是融不到钱的。所以那时我们内部有个口号，我们要为三四流院校争口气。关于文凭，我有两句话：如果你毕业于名牌学校，你就用欣赏的眼光看看别人；如果你毕业于像我们这样的院校，就用欣赏的眼光看看自己。"

在马云看来，既然风险投资热衷于名校，那些不是名校的创业者该如何引入风险投资呢？马云的答案是——跟风险投资共担风险。

在中央电视台财经频道《赢在中国》第二赛季晋级篇第七场中，马云告诫创业选手秦晓丽说："要找风险投资的时候，必须跟风险投资共担风险，你拿到的可能性会更大。"

在节目现场，马云问创业选手秦晓丽："你第一步做什么？"

秦晓丽回答说："做科研，基本在科研上面。"

马云继续问道："三四百万科研费应该很小？"

秦晓丽坦言："很小。"

马云继续问道："你刚才讲到一个问题，你们有流程，国外有流程、有方法、有资金，还有知识产权，你到底来干什么，你有资金，一切都有。"

秦晓丽介绍了融资计划："要自己建立一个生物公司，自己建立一个实验室，那可不是三四百万人民币的问题，那是多少万美金的问题。在这种情况下我们要发展，我们就要去利用资源，在美国有很多这种公司，公司本身的实验和实验条件很简单，大部分工作是去找一个有成熟系统、成熟设备的公司做，做实验，每个实验有不同仪器，不同步骤。"

马云疑惑地问："我完全明白你在说什么，三四百万，你的年薪也有三四百万，足够支撑你的研究，为什么还向熊晓鸽要，还给他股份，他又帮不了你什么忙。"

秦晓丽介绍了自己来参加《赢在中国》的目的："我最初计划，来参加这个节目之前，我们更适合于风险投资，我们把专利做得比较好时，拿到现成的东西再去找风险投资，再进行商业化、产业化，吸引大的公司跟我们合作，进行商业化、产业化，这是比较合适的，这是一个机会。我想看一下，跟大家有一个交流。"

马云继续问道："我们把三四百万投给你，最大问题会是什么？我们把钱给你，钱像水一样扔掉，你觉得最大的风险是什么？"

秦晓丽坦言："这是实验科学，我认为可以，甚至可以拿一个诺贝尔奖给你，但是两年后我告诉你我做不出来，高风险、高投入。"

马云很好奇地问："你自己投多少钱？"

秦晓丽的回答很意外："我想你一定听过一句话，不应该用自己的钱来创业。所以我说是我老公替我出，这样讲不太好，我并不打算动用个人的钱，包括创业，这是一个别人都有的例子，我可以找天使投资，可以找风投，没有特殊情况，我不打算用投资者的钱，天使投资愿意冒这个险来相信我的话，那么是他的选择。”

马云却提醒创业选手秦晓丽说：“不用自己的钱创业，我全用自己的钱创业的。如果投资者告诉你，你自己不投钱，我们一定不会投钱，你就找另外的投资者？如果这个项目那么好，市场那么好的情况，你为什么不愿意自己投一点钱？很多投资者会跟你讲，你投一点，我再投，绝大部分会这么讲，你为什么不投？”

秦晓丽回答说：“生物高科技本身就是高风险、高回收的，我从来没有说没有风险，但我也不会失去信心，这是行业的问题。我们任何人都认为这是有风险的，对于天使投资或者风投来讲，这笔钱对他们来说不是很大的钱，他们会有高回报，我相信这种人是有的，我们可以问一下熊总。”

最后，马云点评创业选手秦晓丽说：“那 28 号（秦晓丽）我们那位博士后，我觉得你非常的聪明也非常优秀，这使我极其钦佩，而且表达一点都没有书生气，所以我非常欣赏。但是你讲得很对，你需要天使投资，而不是风险投资，作为导师的话，我的职责是不能让我来投你的票，但是我相信，在场很多人，包括电视机前很多人都愿意给你投资。另外，风险投资不是投资风险。还有我给你一个建议，商业活动跟实验室里搞实验不是一个概念，实验室里可能失败，再重来过。商业活动是很严肃的一件事情，所以在这里面可能要考虑得更多一点，另外真的要找风险投资的时候，必须跟风险投资共担风险，你拿到的可能性会更大。”

三、VC永远是舅舅，创业者才是父母

马云告诫创业者说，创业者假设非融资不可，必须在融资时格外谨慎，要融到恰当的钱，融到有利于更好发展初创企业的钱。马云多次告诫创业者说："跟VC沟通过程当中，不要觉得VC是爷，VC永远是舅舅。你是这个创业孩子的爸爸妈妈，你知道把这个孩子带到哪儿去。舅舅可以给你建议、给你钱，但是肩负着把孩子养大职责的人是你。VC不是来替你救命的，只是帮助你把公司养得更大。"

投资者和创业者犹如夫妻

在融资过程中，由于一些创业者为了引入战略投资者而一味地卑躬屈膝，认为拿到了风险投资者的资金，似乎就要矮人一等，甚至有创业者说："资本是一个很奇怪的东西，它让人又爱又恨，没有资本使一家企业举步维艰，有了资本也能让一家企业寸步难行。中国有很多企业因为强调控股权与控制权，最终陷入了利益斗争中，影响了公司发展。"①

究其原因，还是创业者没有能够正确地对待战略投资者，有的创业者甚至把战略投资者当作主人，而把自己当作仆人了。

马云却不认同很多创业者的做法。马云强调，不管是战略投资者，还是创业者，在引入资金时，双方都是平等的，不存在主仆关系。但是作为创业者，必须尊重每一位股东，创业者需要注意的是，尊重战略投资者，

① 余在杭：《芝麻开门：马云和阿里巴巴的成功之道》，中国时代经济出版社2007年版，第75—78页。

并不代表创业者完全服从战略投资者。

2014年5月13日，马云再次谈到融资问题，他在移动社交软件来往扎堆中阐述了关于创业者与投资者之间的关系，在马云看来，真正的创业者是投资者的贵人，而非相反。

马云在该文中告诫那些急于融资的创业者：

> 这几天很多朋友给我发来一大堆的阿里当年的历史和传闻，很多的戏说内容，让我发现现在的很多记者可以改行写剧本了。
>
> 尤其发现很多年轻人在说阿里马云、腾讯马化腾等有今天全是因为有贵人投资者相助。似乎今天很多人没有成功是因为没有贵人帮忙。成功者总是为困难找方法，而失败者总是在找借口。
>
> 确实人不应该忘本，我们这些人走到今天确实有很多人帮助、支持过我们，其中包括我们的投资者，但我们的贵人肯定不是投资者。
>
> 投资者是合作伙伴，他们的工作是给他们的钱找出路，找到靠谱的人投资。有钱找到好项目和靠谱的人要比有好项目找到钱难多了。专业的投资者不会因为感性冲动而投资你。但投了你以后，感性冲动胡来的投资者也大有人在。
>
> 所以投资者和创业者的关系犹如夫妻，谁也不能说谁占了谁的便宜，或者谁是谁的贵人。而且为养孩子、教育孩子有不同观点吵架分手是常有的事。找钱是难，找聪明钱更难，找到钱后与投资者和谐共处发展是难中之难。
>
> 创业者真正的贵人是你内心的那个“坚韧，坚持，理想，理性，务实创新”的人。你内心世界里的那个贵人在你最困难的时候，孤独的时候，挫折的时候，投资者放弃你的时候他始终陪伴着你。这个贵人帮你坚持，帮你相信。也是因为有这个内心世界的贵人，投资者才可能投资你，同事们才会尊重你，

配合你。

真正的投资者最怕创业者把他当贵人，因为投资者知道他们不可能是你的贵人。他们投资你不是因为他们心地善良。

真正的创业者必须是投资者的贵人!!!

在马云看来，投资者和创业者的关系犹如夫妻，谁也不能说谁占了谁的便宜，或者谁是谁的贵人。自己和马化腾能有今天，并非是外界所传因为有贵人投资相助。因此，创业者在融资时必须清楚，投资者投资不是因为他们心地善良，而是为了赚取更多的利润。创业者才是投资者的贵人。

VC 永远是舅舅，创业者才是父母

很多创业者热衷于盲目扩张，急于求成，创业没多久就想急于扩大规模，甚至不惜失去控制权也要引入风险投资以达到扩大经营的目的。其实，这样的做法是错误的。

在中央电视台经济频道《赢在中国》栏目创业选手的比赛中，其中有一名创业选手的创业项目是：在汽车用品厂商和消费者之间搭建一个服务平台，为车主提供产品和施工服务。

当马云倾听了这个创业选手的想法后，他给这名创业选手的建议是："你的项目不错，人很踏实，但是不应该给你钱，给你钱会害了你。很多人失败的原因不是钱太少，而是钱太多。刚开始做得小一点，一点点积累，你会做得很踏实，所以你这个项目最好三年以内不要考虑赢利，不要考虑融资。"

马云的告诫值得创业者参考。究其原因：作为一个刚创办不久的企业，摆在首位的是先要脚踏实地把初创企业的基础打好、打牢，而不是急于去各种场合融资。对此，马云撰文说：

跟 VC 谈风险计划，我们是平等的，VC 问你 100 个问题的时候你也要问他 99 个，我拒绝了很多风险投资，我上过中国黄页的当，他投了以后你就被他套住了。在你面对 VC 的时候，你要问他投资你的理念是什么？我作为一个创业者，如果企业最倒霉的时候你会怎么办？

如果你是好公司，七八个 VC 会追着你转。追着你转的时候让他们把帮助你的计划和方法写下来，同时你的承诺每年都要写下来，这是互相约束，是婚姻合同。我觉得为什么今天我对 VC 有信心，我从来没有做错，有的人说阿里巴巴的数字有假，但是孙正义他们不是傻瓜。跟 VC 之间的合作是点点滴滴，你告诉他我这个月会亏、下个月会亏，但是只要局势可控 VC 都不怕，最可怕的是局面不可控。

所以跟 VC 之间的沟通交流非常重要，不一定要找大牌，跟 VC 沟通过程当中，不要觉得 VC 是爷，VC 永远是舅舅。你是这个创业孩子的爸爸妈妈，你知道把这个孩子带到哪儿去，舅舅可以给你建议、给你钱，但是肩负着把孩子养大的职责的人是你，VC 不是来替你救命的，只是帮助你的公司养得更大。

所以我后来接受的投资都没有动，是压仓之实。要在阳光灿烂的日子修屋顶，不能在下雨天去修屋顶。永远在你公司形势最好的时候去融资，公司的改革也要在业绩最好的时候进行，公司形势很不好的时候业绩在下滑，你裁员的时候千万不要杀两刀就不杀了，其实这个人还没有杀掉，想清楚就动、动手要快，刀越快对他越负责任。

在该文中，风险投资不是救企业命的，把企业做强做精的是创业者。在其他场合，马云再次告诫创业者说：“我坚信不移的事情是资本只能赚取利益，资本家永远是舅舅，你是这个企业的父母，你要掌握这个企业的未来。”

对于那些有意向引入风险投资的创业者，马云建议在选择投资者的第一天时就和投资者讲好："倒霉的时候我是需要你的，要是倒霉时你比我跑得还快，那可不行。所以，我觉得脑袋要决定口袋，但脑袋要知道自己做什么。"

反观阿里巴巴的发展，不管是软银的孙正义，还是高盛，都因为马云坚持相互尊重的原则，他们的关系一直非常融洽。在很多时候，马云经常向投资者汇报阿里巴巴的经营情况。

然而，一些创业者往往是得到了战略投资之后，一旦当企业遭遇经营困难，或者遭遇危机时，创业者往往会隐瞒企业的经营状况，尽可能地回避战略投资者，甚至把企业经营不善的责任推诿给社会环境，或者竞争者身上。

为此，马云告诫创业者说："我登门是去访问我的投资者，我必须向他们报告一下我前一段时间做得怎么样。有时候我们的工作交流很少，大家就在一起喝个茶、吃个饭，在办公室里胡侃一下。"

马云这样做，不仅加深了创业者和投资者之间的沟通，一旦沟通到位就可以减少诸多不必要的麻烦。因此，当初创企业经营困难时，就必须和投资者沟通，因为既然投资者是舅舅，就有帮助外甥渡过难关的义务。当企业遇到困难时，投资者必须要和企业、企业家共同进退。[①]

① 余在杭：《芝麻开门：马云和阿里巴巴的成功之道》，中国时代经济出版社 2007 年版，第 75—78 页。

第九章

绝不失去公司控制权

投资者可以炒我们，我们当然也可以换投资者，这个世界上投资者多得很。关于这个问题，我希望给中国所有的创业者一个声音，投资者是跟着优秀的企业家走的，企业家不能跟着投资者走。所以，即使我只有百分之几的股权，甚至我只有一股或者是两股，我觉得这个公司我还是可以影响的。

——阿里巴巴创始人　马云

一、不能在资本层面稀释掉对公司的控制权

为了在资本层面不稀释掉对公司的控制权，马云还拒绝了一家风险投资2000万美元的资金。

众所周知，在媒体报道的篇幅中，中小企业的融资问题似乎一直很困难，如果一个风险投资商要为创业者投资4000万美元，创业者会只要2000万美元吗？可能作为一个急需资金的创业者来说，这样的做法很愚蠢。

不过，马云并不这样看。在马云看来，要想把阿里巴巴打造成一家102年的公司，就必须坚持自己的梦想，不能在引入风险投资时失去控制权。1999年12月，马云与软银总裁孙正义签约之前，马云嫌钱太多要求缩减投资总额。“钱太多了，我不要。”马云坚信，“只需要足够的钱，太多的钱是坏事。我是靠50万元人民币起家的，2000万美元也还可以支配，过多的钱就失去了价值。”

客户是父母，投资者只是“娘舅”

在互联网行业高速发展的20多年，尽管遭遇数次泡沫经济破灭，但是由于互联网本身的高风险、高收益，使得一些风险投资者甘愿冒风险投资。学者曾撰文称：“风险投资商的投资金额决定了互联网发展速度的脚步。”足以看出风险投资者的作用。

由于互联网企业本身的发展较为特殊，在创业阶段都缺乏资金，所以在一些创业者引入风险投资时，往往把投资者看作自己的恩人，甚至是衣食父母。不过，马云却不认可这样的做法，他在接受媒体采访时称，客户才是阿里巴巴的父母，投资者仅仅只是“娘舅”。

在马云看来，正是因为数以万计的会员的认可和支持，阿里巴巴才能

取得成功。所以，在重要性排序上，客户永远是第一位的。

2005年，在很多企业家都在宣扬资本主导经营方向时，马云却不这样认为，马云认为，在今天，资本主导企业经营的时代已经过去了，资本永远应该听从企业操作者的。

时隔两年之后的2007年，在接受媒体采访“如何处理公司控制权”的问题时，马云再一次强调：“投资者可以炒我们，我们当然也可以换投资者，这个世界上投资者多得很。关于这个问题，我希望给中国所有的创业者一个声音，投资者是跟着优秀的企业家走的，企业家不能跟着投资者走。所以，即使我只有百分之几的股权，甚至我只有一股或者是两股，我觉得这个公司我还是可以影响的。”

正是马云有这样的融资态度，他才牢牢地控制着阿里巴巴的经营方向。据马云介绍，马云和投资者的关系相当融洽，也处理得很好，股东大会的时间也是越开越短。

面对资本控制企业的经营方向，曾经有媒体采访马云，软银跟阿里巴巴的关系怎么样，孙正义是否控制得了马云时，马云的回答非常简单，但是非常直接。如果阿里巴巴的经营方向被孙正义控制的话，那他就不是马云了。在阿里巴巴，孙正义所持阿里巴巴的股份大概是34%。

2005年，阿里巴巴收购雅虎中国全部资产，同时得到雅虎十亿美元投资，雅虎置换阿里巴巴集团40%的股份以及35%的投票权。尽管雅虎占据当时阿里巴巴40%的股权，但是不能操纵阿里巴巴。因为从阿里巴巴这个公司成立的第一天起，其使命是使阿里巴巴成为在中国诞生并由中国人创办的全球性公司。因为这个使命，阿里巴巴股份控制的结构必须改变，马云不会让任何人控制这家公司。这家公司是中国人在市场经济下创办，并在全世界发展的。①

对此，马云介绍说：“我们的结构非常巧妙。整个收购获得雅虎投入

① 赵文锴：《马云创业真经》，中国经济出版社2011年版，第67页。

的全世界看起来不可思议的十亿美元，雅虎所有的资产、所有的品牌和技术折价为七亿美元，这是世界上去年最大的收购案。我们没有聘用顾问公司，因为我们不相信顾问公司，这些公司说的、写的全都对，干起来全是错的。我们也没有请投资银行，我们觉得对就做下去，做一切对的事情，如果加上投资银行这个事情会变得很复杂，所以我们快速地做了这个决定。”

在马云看来，在引入风险投资时，不能因为融资而失去控制权，只有这样才能坚持做 102 年的公司。在马云的排序中，始终把客户放在第一位。马云说：“对股东，我尊重他们，倾听他们的意见，但我会按照自己的想法去做事；对员工，我倾听，但我会按照我认为对的去做；对于客户，大部分我是跟着客户去走的。客户第一、员工第二、股东第三，上市后我还是如此，不会因为股市而改变方向。美国，杨致远为主；日本，孙正义为主；中国，我为主。这是大家合作的基础，我们是伙伴关系。八年来，我问过所有的投资者，哪个季度让他们失望过？哪个季度我没说到做到？我们每年做得比说得好。”

真正的企业家是控制资本的

在做强创业企业的过程中，融资始终是一个绕不过去的问题。作为创业者来说，尽管一些创业企业极度缺乏资金，而在此刻，也愿意给初创企业注入资金。

然而，马云却告诫创业者，面对初创企业急需的资金，作为创业者必须要冷静对待，绝对不能在资本层面稀释掉对于公司的控制权，尤其是在创业成败的关键期。马云说：

> 在中国黄页的时候，我在寻找投资者的时候，犯了一个错误。我们当年跟中国电信在浙江的分公司有一个企业发生了竞争，他的注册资本是 2.4 亿元人民币，我的中国黄页的注册资本

是五万块钱人民币，我们的竞争非常惨烈。他是国企我那时候叫个体户，个体户玩高科技，在1995年的时候客户一听肯定就不行，所以我们几乎很难竞争，但是我想我们的竞争还是蛮成功的，我明白一点：大象很难踩死蚂蚁的，你只要躲得好。以后在发展企业当中，碰上对手非常强大的时候没有什么可怕的，因为我从五万元抵抗中知道了躲得好。他也搞不死我，我也不搞死他，后来我们坐下来谈，我们进行合资企业，合资企业的时候他说他赚70%、我们赚30%，他们投140万元人民币，当时脑袋一拍就干了，最后在董事会里面他是五票我们是两票。1995年年底，我们成立了合资企业，然后灾难就来了，因为双方的目的不一样，我是觉得有140万人民币我就可以大干了，他是想到我出140万元就可以把他灭了。最后发现我们每次开董事会我提出的任何想法他们一个人举手、五个人同时举手，我们五六次董事会没有一个东西通过，因为他不是发展你，所以这时候你虽拿到了钱但却丢掉了自己最宝贵的东西，因为你没有想清楚。从那时候开始我有一个坚定的信念，今后我再创办公司的时候永远不会去控股一家公司，让被我控股的人感到痛苦。很多人可能是做了一个相反的动作，很多创业者说我要控股别人，因为我想到一个创业者多么痛苦，你想做的事情不能被做的时候你是很难过的，你倒过来，今后你做投资者的时候，一定要给下面充分的理解和支持，所以直到今天为止我没有控股过阿里巴巴一次，我为此感到骄傲。我说今后有CEO控股这家公司是智慧而绝对不是资本，如果一个企业家被资本控制的时候你就没有希望了，资本是为你服务的，你不能为资本服务。现在我能够把钱变成更多的钱，你能够找到很好的项目，所以双方之间是平等的。资本是更好的工具，但是不能为工具丢掉了你第一天想做的事情。

在马云看来，企业家不能被资本控制，而且真正的企业家是控制资本的。在蓝海战略高峰论坛上，马云告诫创业者说："企业到一定程度资本运作是高层次的，其实我是蛮同意的。像阿里巴巴这样的公司，我自己的经验，小公司充满创新创意，创新的东西越多，公司必须要有制度去规范，制度越来越多，公司发展速度越来越慢。真正的创新，企业到一定规模以后，绝大部分创新是在企业以外的，所以要购买创新，新的主意，新的资源配置。但是很多人买来就死掉，不买还好，这个是资本运作最大的困惑。其实买好的人才，你又有好的记录，人家愿意为你出钱，银行愿意为你出钱，风险投资愿意为你投资，你一定要注重人才，到一定程度必须要这么去做的。"因此，作为创业者面对外界资金的注入，必须要能克制金钱的诱惑。

在融资过程中，马云在洽谈了数家融资方后决定，阿里巴巴只接受软银 2000 万美元的注资。

可能有些创业者会问，既然投资方愿意多注资，马云为什么却只接受软银 2000 万美元的注资呢？

针对这个问题，马云告诫创业者，面对来自各方的风险投资，创业者绝对不能见钱眼开，一旦见钱眼开，极有可能会失去自己在公司的控制权。

研究发现，马云在历次融资中，都坚持阿里巴巴的控制权绝对不能旁落他人之手的原则。即使到了 2004 年 2 月，阿里巴巴第三次融资 8200 万美元，马云及其创业团队仍然是阿里巴巴的第一大股东，占有 47% 的股份。①

从马云在阿里巴巴的融资运作过程中研究发现，一些创业者为了获得外部的创业投资资本，从而出让企业的部分股权给那些有经验和能力的创业投资者。尽管双方会签订投资协议和相应的股权协议等一系列合同，接

① 佚名：《马云讲创业的三个原则》，2014 年，见 http：//www.cn08.net/html/cyebd/200802/7083.html。

受创业投资的创业企业的产权从法律上讲是明晰的，但是，风险企业中高层管理团队的人力资本具有特殊的重要性，尤其是处于种子期和初创期的企业，可以说其大部分价值在创业者的头脑中，也就是说：即使创业者在企业中的股份不多，但他们拥有许多实质上的控制权。[①]

雅虎、软银不会控制阿里巴巴

马云认为，公司在发展的过程中更需要引入各类投资者，而股份的稀释是天经地义的。企业领导者对这家公司的控制应该靠的是勇气、智慧、担当、领导力和公正透明的管理能力。靠股份控制下的员工多是奴才型的，很难维系公司长久的发展。因此，在引入各类投资者时，不能在资本层面稀释掉对公司的控制权。其实，这都是马云在经历过几次失去控制权后得出的教训。

在阿里巴巴入股雅虎时，财经评论专家 i 黑马把这一举动视为“马云创业过程中的十次失败”中的一次，下面就是 i 黑马的叙述[②]：

> 4. 做死雅虎中国险丧阿里控制权
>
> 时间：2005 年
>
> 原因：私交甚好的杨致远下台
>
> 结局：背着骂名将雅虎股权逐渐赎回
>
> 2005 年的某一天，雅虎创始人杨致远与马云在美国一高尔夫球场相遇，那场球赛马云赢了，给杨致远留下深刻印象。回去的路上，杨与马并肩而行，并说“我们把交易定了吧”。那时，

① 佚名：《马云：不能在资本层面稀释掉对企业的操纵权》，2014 年，见 http：//www.asiafinance.cn/news/2011-12-14/asia0000051797.shtml。

② i 黑马：《马云创业过程中的十次失败》，2014 年，见 http：//newshtml.iheima.com/2014/0915/145673.html。

杨致远希望将雅虎中国发展成像美国雅虎一样强大，遗憾的是，中国的局面迟迟打不开。

从谈判到签署协议，只用了三个月。阿里巴巴收购雅虎中国全部资产，同时得到雅虎十亿美元投资，后者获得阿里 40% 的股权。

马云野心勃勃，请来了著名导演给雅虎中国拍广告，但雅虎中国后来变得既不像门户，又不像搜索引擎，马云在雅虎中国上几乎毫无作为，丧失了跟中小企业相关度很高的搜索引擎发展战略机遇期，后来推一淘等搜索引擎其实就相当于阿里平台内部搜索引擎。今年，阿里更是将搜索业务整体打包给 UC，以 UC 班底为核心组建神马搜索。

2007 年，阿里香港上市 IPO 文件中披露，2010 年起，雅虎将增强在阿里董事会话语权，持股份额将高于 35%，并不排除马云存在被驱逐出董事会的情况。后来闹得沸沸扬扬的马云将支付宝资产转为阿里管理层所有的争议都是当年"收购雅虎中国"，出让过多的阿里股权给雅虎埋下的祸根。

在 2010 年 10 月，有关阿里巴巴控制权的问题再次引发媒体的广泛关注。根据阿里巴巴与雅虎的协议，2010 年 10 月，雅虎将拥有阿里第一大股票权及与马云等管理层相当的董事席位。媒体由此分析认为，马云等有可能失去对于阿里巴巴的控制权。①

在中国计算机大会上，马云对此问题进行了解释，马云称，尽管外资是阿里巴巴的控资大股东，但是外资不会控制阿里巴巴，他们自己会掌控阿里的未来。在该大会上，马云的讲话摘录如下，以下为马云的讲话内容②：

我要感恩。没有资本，可能阿里巴巴发展不会那么顺利，但

①②《马云：资本永远是舅舅自己掌握阿里未来》，《中国企业家》2010（10）。

是没有这个人的资本，还有他或他的资本。但是（如果）没有我们的价值体系，没有员工的点点滴滴，没有对未来的把握和社会的感恩，就不可能有我们的阿里巴巴。我们不会放弃原则，但是做任何事，必须是合法、合理、合规，还有合情的。

我坚信不移的事情是：资本只能是赚取利益，资本家永远是舅舅，你是这个企业的父母，你要掌握这个企业的未来。股东永远是第三位，他（指资本）永远是舅舅，买奶粉的钱不够就借一点。

（当初）初创阿里巴巴时，曾经至少拒绝了30家VC投资，原因是他们要求控制阿里巴巴。

（另外）影响我的一定是消费者的需求，这是第一个；第二个影响我的一定是我的团队，我的同事告诉我这个东西错了，我会很认真地停下来听；股东说（做）错了，你说得清楚一点，我再听听，最后是我自己决定。

在此次大会的演讲中，马云的观点非常明确，那就是“资本只能是赚取利益，资本家永远是舅舅，你是这个企业的父母，你要掌握这个企业的未来”。

在阿里巴巴的融资中，马云及其团队始终坚持“外资不会控制阿里，自己会掌控阿里的未来”的原则。

二、宁愿放弃香港上市，也不失去控制权

2013年10月，作为阿里巴巴集团主席的马云及集团管理层赴港，其目的是向港交所阐释阿里巴巴的“合伙人”制度。究其原因，是因为在2013年9月港交所曾有条件地批准阿里巴巴集团在香港上市，但是对港

交所提出来的限制条件，马云拒绝了，导致上市陷入僵局。为了阿里巴巴的控制权，使得原本打算在香港上市的马云不得不重新选择上市地点，这就使得马云不得不放弃在香港上市。在马云的上市路线图中，美国就成为阿里巴巴的最佳上市地点，同时阿里巴巴在美国成功上市，也成为本年度的头条商业事件了。

阿里巴巴决定不选择在香港上市

对于很多创业者来说，在香港上市可是一生梦寐以求的事情。然而，阿里巴巴却背道而驰，先发制人地宣称，阿里巴巴决定不选择在香港上市。

2013 年 10 月 10 日，时任阿里巴巴集团 CEO 的陆兆禧对外宣称："今天的香港市场，对新兴企业的治理结构创新，还需要时间研究和消化。我们决定不选择在香港上市。"

当阿里巴巴宣布不选择在香港上市时，这就意味着曾经争论不休的赴港上市终于尘埃落定。这样的结局无疑是阿里管理者首次就 IPO 相关事宜作出的公开表态。

在其后的媒体发布会上，阿里巴巴称，对最终上市地点尚未作出选择。但是在陆兆禧的表态中所传递的信息显示——鉴于目前香港市场状况，香港已经不在阿里巴巴选择的范围之内。

随着 58 同城、去哪儿网先后宣布启动赴美 IPO 并递交招股书，中概股新一季上市窗口期已逐渐打开，对于筹备上市的公司而言，近期将是较好的冲刺机会。业内分析认为，放弃香港上市的阿里巴巴，下一步瞄准的最有可能就是美国资本市场。①

当阿里巴巴放弃香港上市之时，一些研究者断言，阿里巴巴是因为

① 吴敏：《阿里巴巴放弃在香港上市》，《新京报》2013 年 10 月 11 日。

"双重股制"，不过阿里集团新闻发言人却否定了这样的观点。该发言人宣称，阿里巴巴没有向港交所递交过正式申请，没有向港交所要求过"双重股权"结构，更没有挑战香港市场所奉行的"同股同权"标准。但他也承认，阿里巴巴确实和香港市场监管机构进行过几次非正式的接触和沟通，但市场上流传的数个版本并不真实。

此前，马云在公开邮件中表示："我们关心控制这家公司的人，必须是坚守和传承阿里巴巴使命文化的合伙人。"同时，他也就上市问题表态："我们在乎我们上市的地方，必须支持这种开放、创新、承担责任和推崇长期发展的文化。"

随后，阿里巴巴集团创始人和副董事长蔡崇信，则以公开信的形式透露："作为一家主要业务都在中国的公司，香港自然是我们上市的优先选择。"蔡崇信还称，阿里巴巴从未提议过采用双重股权结构的方案，合伙人方案"充分保护了股东的重要权益"，并未威胁到香港监管机构倡导的"一股一票"原则。

过去一段时间，阿里巴巴集团发言人一直强调，阿里巴巴集团"尚未就上市事宜选定承销商，亦未选定上市地点，也没有确定的时间表"。陆兆禧的表态，意味着阿里巴巴将放弃在香港上市。

当阿里巴巴放弃香港上市后，阿里上述发言人说："在没有认真地倾听阿里巴巴的真实需求前提下，就对不存在的事实和传言进行讨论，并由此得出'结论'，我们对此表示遗憾。因此集团作出上述决定。"

此前香港媒体报道称，因香港的上市规则不支持"双重股制"做法，阿里才提出实施"合伙人制度"的"创新"上市建议。[①]

其实，"双重股制"在美国的高科技公司中较为普遍，这是一种较为有效解决管理层投票权问题的常见做法，一般地，企业发行两种股票AB，其投票权的比例不同。比如，美国的谷歌、脸谱等均采取这种方式。

2013年9月10日，时任阿里巴巴董事局主席马云披露了阿里巴巴的

① 吴敏：《阿里巴巴放弃在香港上市》，《新京报》2013年10月11日。

"合伙人制度"，称执行三年已有 28 人，非为上市临时设立。

据阿里巴巴的公开信息显示，阿里巴巴的"合伙人"共 28 人，成员主要是阿里巴巴集团高管，其中包括马云。马云希望在上市之后，"合伙人"有权提名超过半数的上市公司董事会董事。[①]

公开资料显示，目前马云及其高管成员的股份约 10.4%，美国雅虎的股份 22.6%、日本软银目前拥有 34.4% 的股份。业内分析，在这样的股权结构下，马云等人设计出"合伙人制度"是为维系其对公司的控制权。[②]

马云为了保住自己对阿里巴巴的控制权，不惜挑战香港的上市规则。在凤凰网对网友的调查结果显示，实现与雅虎签订的股权对赌协议，保证阿里控制权才是马云放弃香港上市的直接原因，见图 9-2-1。

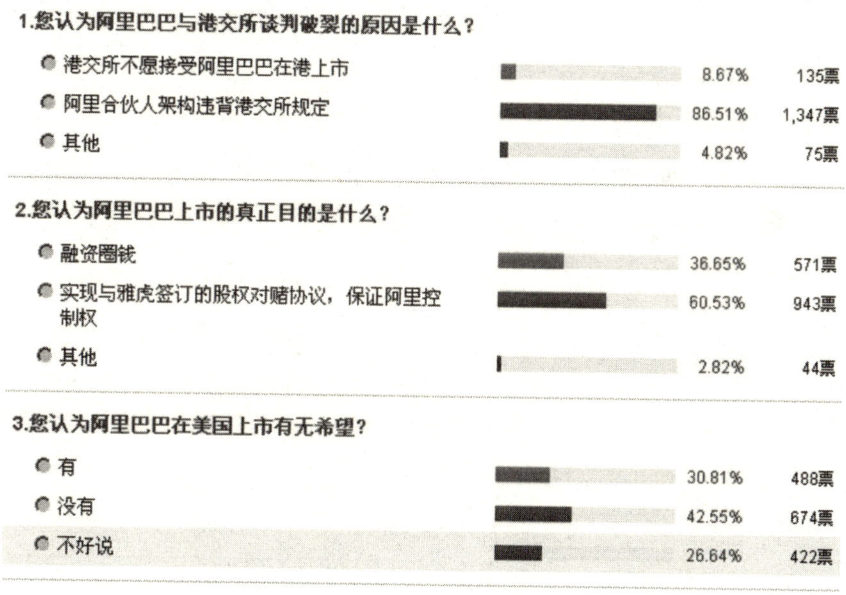

图 9-2-1　阿里巴巴香港上市失利的原因调查

①② 吴敏：《阿里巴巴放弃在香港上市》，《新京报》2013 年 10 月 11 日。

保障创始人利益不靠绝对控制权

众所周知，公司创始人与企业控制权一直是一个较为热门的话题。我们来回顾一下国内的一些真实案例：2001 年 6 月初，新浪网创始人王志东辞去公司首席执行官、总裁、董事等职位，王志东的离开在业界引起了关注。

在王志东离开新浪网之前，中国大陆地区已经有一些公司在融到创业投资后，创始人因为遭遇种种问题先后离开自己辛苦创建的企业，如瀛海威的张树新、中公网的谢文、Chinaren 的陈一舟、8848 的王峻涛、美商网的童家威，等等。

不仅如此，也有一些创业企业在融到创业投资后，在创业投资者的操盘下，积极引入职业经理人，创始人从公司的“一把手”位置后撤，如一些技术出身的创始人转向主要负责技术开发，而不负责公司的总体发展和日常管理等。①

为了维持企业控制权，很多在美国上市的新兴互联网企业通常采用 AB 股制度，即通过向创始人发放拥有高投票权的股票，让创始人在持有少数股票的情况下，依然保持控股权。不过，阿里巴巴的招股书信息显示，阿里巴巴治理结构没有采用 AB 股，而是采用合伙人制度，其目的是“确保公司的文化传承”。为此，马云撰文指出：

> 最近很多人在谈公司控制权，我也分享一下我的想法。
>
> 绝大部分公司创始者天性害怕失去对公司的控制权，这无可厚非，因为各种不安全感总是围绕着创业者，对未来的不安全感是他们成功的主要因素之一。尤其是越成功的创始老板会越来越

① 佚名：《马云：不能在资本层面稀释掉对企业的操纵权》，2014 年，见 http://www.asiafinance.cn/news/2011-12-14/asia0000051797.shtml。

有莫名的担心。

创始人对公司的控制主要有两大误区：第一，总认为自己比公司里任何人都爱这家公司，最了解这家公司；第二，觉得只有通过控制股份来控制公司的决定权。其实这两大误区会大大阻碍你公司的发展和成长。除非你就想做一家小规模的家庭企业，你也许可以勉强做到永远控制。如果你希望把企业做好、做强、做大、做成基业长青的公众上市公司，这两条思想是致命的障碍。

公司的发展基本依靠引进优秀的人才，特别是比自己优秀的人才，需要建立各类人才共建共享的文化价值观体系，更需要引入各类投资者，而股份的稀释是天经地义的。企业领导者对这家公司的控制应该靠的是勇气、智慧、担当、领导力和公正透明的管理能力。靠股份控制下的员工多是奴才型的，很难维系公司长久的发展。

公司创始人会糊涂、会老、会死、会有各种突发意外，成也创始人，败也创始人的事比比皆是。顽固、自大、一意孤行是创始人的通病。相信直觉是他们成功的原因，但太信直觉和自己也是他们失败的主要原因。

所以保持公司基业长青的很重要的措施之一就是接班人制度。创始人要在年富力强的时候寻找和培养接班人，这就像生孩子，你需要身体最棒的时候生而不是年老体衰的时候。年老体衰时培养接班人你的心态已经很不一样了。

当然光靠一个或几个接班人肯定是不行的，需要建立一套制度和文化保障体系。因为没有人是完美的，也不可能有一套制度是可以解决所有问题的，因此，人、制度、文化机制的配合才有可能让你的公司持久。

真正保障创始人利益的不是绝对的控股权，更不是自我感觉良好的至高无上的“权威”，而是一批你悉心招聘培训出来的靠谱的人，一种健康积极的文化和透明开放有效的机制，这三者的结合才有可能的基础。

公司最难过的关是创始人的境界、胸怀和品行关。真的很难！

在该文中，马云写道，阿里巴巴的发展基本依靠引进优秀的人才，特别是比自己优秀的人才，需要建立各类人才共建共享的文化价值观体系，更需要引入各类投资者，而股份的稀释是天经地义的。

在马云看来，靠股份控制的员工都是奴才型的，不会长久。正是基于此，阿里巴巴在招股书中专门撰写一章来介绍其使命："让天下没有难做的生意"。"我们相信，专注于满足客户需求、帮助他们解决问题——不管他们是卖家还是买家——最终才会产生对我们的业务发展最好的结果。根据这个使命，我们在移动和 PC 端建立了庞大的电子商务生态圈，让参与者们可以在我们的平台上创造和分享价值。我们的管理团队，在为公司作决策时，首先要从履行公司使命出发，而不是为了追求短期的获利机会。"

当然，介绍了使命还不够，还必须确保阿里巴巴文化的传承和价值观的长久维系，马云在其上市后的管理架构上也相应地作了规划。招股书显示，为了保证公司的使命、愿景和价值观的持续发展，阿里巴巴在 2010 年 7 月决定将合伙人协议正式确定下来，并取名为"湖畔合伙人"，或称为"阿里巴巴合伙人"。

招股书还介绍阿里巴巴合伙人，内容显示："目前，阿里巴巴合伙人组织一共有 28 个成员，包括 22 名阿里巴巴集团的管理层和六名关联公司及分支机构的管理层。除了马云和蔡崇信为永久合伙人外，其余合伙人在离开阿里巴巴集团公司或关联公司时，即从阿里巴巴合伙人退休。每年合伙人可以提名选举新合伙人候选人，新合伙人需要满足在阿里巴巴工作或关联公司工作五年以上；对公司发展有积极的贡献；高度认同公司文化，愿意为公司使命、愿景和价值观竭尽全力等条件。此外，为了确保合伙人与阿里巴巴股东利益一致，合伙人制度还要求，在作为合伙人期间，每个合伙人都必须持有一定比例的公司股份。”

在阿里巴巴对合伙人的介绍中不难看出，阿里巴巴合伙人拥有独家提名多数董事会成员的权利。阿里巴巴合伙人提名的董事候选人，需要先经全体合伙人投票通过，再由股东大会投票。通过后，才能成为董事会成员。这一安排从企业理念和组织架构上，让阿里巴巴的使命愿景以及价值观都得以最大限度的保障。①

跟港交所较劲目的还是控制权

2013年8月16日，香港《南华早报》英文网站在刊文时，就援引一个与马云会面的投行人士的信息——阿里巴巴集团可能放弃年内在香港上市，或转投纽约股市。

该投行人士介绍，对于阿里巴巴而言，对比香港，纽约是最好的选择，因为后者允许双级股权结构。而纽约交易所及纳斯达克交易所等也都力邀马云到其平台上市。据国内媒体报道，阿里设有同股不同权的“AB股”架构。这成了阿里来港集资的最大障碍，亦成了港交所审批底线的最大考验。②

经过多轮的融资，马云已经不再是阿里巴巴的大股东，尽管如此，马云却依然不甘心放弃阿里巴巴集团的控制权。《南方周末》发表名为《马云的“赎身”梦魇》文章称：“八年前，阿里巴巴集团以40%的股权，换来雅虎的十亿美元加雅虎中国资产，解了资金燃眉之急。当意识到很可能将因此失去公司控制权时，马云采取了各种不寻常的

① 凤凰财经：《马云：保障创始人利益不靠绝对控制权》，2014年，见http：//finance.ifeng.com/a/20140522/12390223_0.shtml。

② 21CN科技：《马云因控制权不保放弃香港上市　港交所曾拒绝百度》，2014年，见http：//it.21cn.com/focus/a/2013/0816/15/23489879.shtml。

方式试图‘赎身’。而能否成功上市，则是最后关键一步。但无论是香港还是美国资本市场，现在都很难接受马云以合伙人制度来控制公司的设计。”

在阿里巴巴的股份中，马云及阿里巴巴管理层所持股权仅有10%左右，这种控制权十分脆弱。而AB股模式又无法一劳永逸地解决控制权的隐患。因此马云只能寄希望于合伙人制度这根救命稻草。[①]

在赴港上市中，一个最大的阻碍就是港交所一向拒绝“AB股”架构，再加上港交所禁绝AB股多年，就算有意为阿里巴巴“开绿灯”也无能为力。因为港交所过去曾以AB股架构不合规为由，拒绝百度及英超球队曼联上市，所以有市场人士估计，港交所不会为了阿里“自拆招牌”。在这样的背景下，马云放弃港交所也就在情理之中。

客观地讲，在马云选择上市地点中更倾向于香港市场。究其原因，主要是因为阿里巴巴旗下的B2B公司曾经在香港成功上市过，对于马云来说，更熟悉香港市场的监管、上市规则等，不仅如此，香港市场也热衷内地的科技企业赴港上市，一旦阿里巴巴在香港上市成功，无疑会收获较高的市值。例如，2013年9月16日，腾讯公司在港交所的市值已经超过了7828亿港元，相比上市时股价增长超过100倍。

阿里巴巴在与港交所的博弈中，阿里巴巴的市值始终是马云关心的问题。另外，马云关心的另外一个问题是，阿里巴巴必须尽快上市，从而可以赎回雅虎手中的股份。2012年5月，阿里巴巴与雅虎达成协议，阿里巴巴要想进一步赎回雅虎手中的股份，必须在2015年12月前上市，并且阿里巴巴的IPO发行价需比阿里回购雅虎股份每股溢价110%。如果做不到这一点，雅虎即可自行处理手中股份。换言之，如果马云不能以较高的市值尽早上市，雅虎依然将占有阿里巴巴20%以上的股份，这显然是马云不愿看到的。[②]

①②谢鹏、徐庭芳：《马云的“赎身”梦魇》，《南方周末》2013年9月19日。

当阿里巴巴宣称放弃香港上市时，马云的最佳选择就是让阿里巴巴集团在美国上市。对此，北京市安理律师事务所合伙人 Raymond Wang 在接受《南方周末》记者采访时介绍，以合伙人制度模式在美国上市没有先例，美国资本市场不会给阿里巴巴开这个先例。他自己问过很多美国的律师，大多都认为阿里巴巴去美国上市无法采用合伙人制度。此外，这两年中国概念股在美国市场的信誉并不好，而且马云在 2011 年曾经绕开董事会擅自将支付宝从阿里巴巴集团剥离出来的行为，让他一度遇到在美被起诉的问题。再加上淘宝平台的假货和水货泛滥，让阿里巴巴在美国市场的口碑大打折扣。阿里巴巴即使去美国上市，能否卖出高市值也是个未知数。①

在 Raymond Wang 看来，一旦阿里巴巴选择在美国上市，以较少股份控制阿里巴巴，唯一的选择就是 AB 股的双重股权架构的上市模式。什么是 AB 股模式呢？所谓 AB 股模式，是指将股票分为 A、B 两个系列，其中对外部投资者发行的 A 系列普通股有一票投票权，而管理层持有的 B 系列普通股每股则有 N 票（通常为十票）投票权。

众所周知，AB 股模式在美国的资本市场较为常见。据美国《经济学人》杂志报道，采取 AB 股模式架构的公司主要是科技类。2000 年，美国就有 482 家公司采用 AB 股模式双重投票结构。当互联网泡沫破裂之后，AB 股模式的公司开始下降，到 2002 年，AB 股模式的公司下降到 362 家。此后 AB 股模式的公司继续减少，到 2010 年时，仅仅有 12 家公司在上市时采用 AB 股模式结构。

创业者可能好奇地问，到底是哪些公司采用 AB 股模式呢？根据目前公开的资料显示，当下采用 AB 股模式的主要是一些明星科技公司，如美国的谷歌、脸谱、Groupon 和 Zynga，以及中国的人人公司、百度公司、优酷公司和土豆公司等概念股公司。而京东商城等尚未上市的公司，也采

① 谢鹏、徐庭芳：《马云的“赎身”梦魇》，《南方周末》2013 年 9 月 19 日。

用了双重投票权制度。[①]

Raymond Wang 在接受《南方周末》记者采访时说："我们算过，阿里巴巴在美国上市，采取 AB 股是可行的，但马云和管理团队在壳公司只有 10% 左右的股份，在 AB 股制度下是没办法牢固控制公司的。"

研究发现，目前很多实行这种 AB 股双重投票权模式的公司，其创始人往往本身就是大股东，或者持股数量比较多。比如，脸谱创始人马克·扎克伯格在上市前就持有 28% 的股权，通过双重股权结构以及投票权协议，能掌握 58.9% 的投票权。而人人公司在美上市后，创始人陈一舟持股 22.8%，拥有 55.9% 的投票权。[②]

三、通过合伙人制度掌控阿里巴巴

在阿里巴巴与港交所的博弈中，阿里巴巴合伙人制度是港交所拒绝的理由。港交所担心阿里合伙人制度不能保证投资者利益。港交所方面表示，无论是 AB 股还是合伙人模式，都跟目前港交所的上市规则有冲突。香港交易所上市规则规定，不允许这种同股不同权的上市模式。

此外，合伙人制度不符合香港证监会对投资者利益的保障。外部中小投资者更为弱势，无法在董事会中提名代表自己的董事，公司治理的透明度也更差。而对小股东的保护，正是港交所十分看重的。美国容许使用 AB 股模式的脸谱和谷歌上市，原因是当地有集体诉讼机制，让小投资者能取得应有的保障。

然而，马云却坚持阿里巴巴的合伙人制度，可以说，马云寄希望于合伙人制度回购雅虎股份解决控制权危机。马云及阿里巴巴管理层所持股权

①② 谢鹏、徐庭芳：《马云的"赎身"梦魇》，《南方周末》2013 年 9 月 19 日。

仅有10.4%左右，这种控制权十分脆弱。2014年9月19日，互联网专家刘兴亮在参加凤凰科技特别策划的阿里上市视频直播沙龙时表示，阿里巴巴的合伙人制度是其上市过程中的重大看点，这也是阿里巴巴最终没有放弃港交所的直接原因。

在刘兴亮看来，现代化的企业里发言权和股份是成比例的，作为企业实际的掌舵人，马云股份少但又想掌控公司，就发明了合伙人制度。刘兴亮说："合伙人分布在阿里各个层级，马云通过该制度增加自己在股东董事会其他层级里的发言权，进而控制董事会，从而能决定公司战略。"

合伙人制度的玄机

马云宁愿放弃香港上市，也要坚持合伙人制度，源于阿里巴巴集团以40%的股权换取雅虎十亿美元和雅虎中国资产，此举尽管解了阿里巴巴资金流的燃眉之急，然而却因为这样的举措而差一点失去对阿里巴巴的控制权。

当马云及其创业伙伴们意识到这样的做法很可能将因此失去阿里巴巴的控制权时，为了阿里巴巴的控制权，马云采取了一系列的、各种不寻常的方式试图来"赎身"。当然，在这个过程中，能否成功上市，则是马云最后关键的一步"赎身"行为。

为了更好地坚持控制权，马云设计了以合伙人制度及AB股模式来控制阿里巴巴。这样就可以永久地解决控制权的隐患。因此，在与港交所谈判的过程中，马云就希望抓住合伙人制度这根救命稻草。在谈判无果之后，马云还是坚持抓到这根稻草，在纽约上市后，马云证明了自己的做法。

为了更好地解释合伙人制度，2013年9月10日，时任阿里巴巴集团董事局主席的马云给全体员工发了一封邮件。在这封邮件中，马云第一次披露了已运行三年的阿里巴巴合伙人制度。

在马云看来，阿里巴巴合伙人制度是一项先进的制度安排。马云说："我们不在乎在哪里上市，但我们在乎我们上市的地方必须支持这种开放、创新、承担责任和推崇长期发展的文化。"

在马云给员工的邮件公开后，却被外界解读为马云为了在香港上市，在遭遇阻击后向香港证监会施压。香港《南华早报》称，2013 年 9 月 3 日左右，香港证监会召开董事局会议，决定不支持合伙人制度的公司在港上市。

北京市安理律师事务所合伙人 Raymond Wang 在接受《南方周末》记者采访时介绍，他和同事们的调查结果是，马云所说的这种合伙人制度，是设立在阿里巴巴注册于开曼群岛的海外壳公司里的一种特殊管理条款。Raymond Wang 说："马云说的这些合伙人，主要是阿里巴巴的高管。这有点像很多公司制的企业，如，咨询公司、投资银行，高级管理者的头衔也叫作'合伙人'，但并不是法律意义上的合伙人。"

在公开的信息中，这些合伙人共有 28 人，主要是由阿里巴巴集团高管成员构成，其中包括阿里巴巴的创始人马云。

为了让阿里巴巴存活 102 年，同时也为了限制大股东软银和雅虎的逼宫，马云设计了合伙人制度及 AB 股模式，其目的是希望阿里巴巴上市之后，28 名合伙人有权提名超过半数的上市公司董事会董事。按照《华尔街日报》的说法，虽然合伙人提名的董事需要经过股东大会的批准，但如果合伙人提名的董事没有获得股东大会通过，合伙人有权继续提名董事，直到被股东认可。①

当马云再次解读阿里巴巴的合伙人制度时，时任香港交易所主席周松岗在接受港媒采访时表示，他希望阿里巴巴在香港上市，但要对投资者进行利益保障，不能因方便小部分企业而放弃监管准则。②

可能创业者会好奇地问，是什么因素导致马云坚持阿里巴巴的合伙人

①②谢鹏、徐庭芳：《马云的"赎身"梦魇》，《南方周末》2013 年 9 月 19 日。

制度呢？是什么因素导致了马云与港交所的这场战争呢？是什么因素导致马云宁愿放弃港交所，也要坚持阿里巴巴的合伙人制度呢？这主要还是源于九年前阿里巴巴的股权旁落。

《南方周末》是这样报道的："自从2005年雅虎以十亿美元换取了阿里巴巴集团40%的股权之后，马云就注定将陷于失去控制权的梦魇之中。从2010年阿里巴巴管理层嘲笑雅虎开始，到2011年马云将支付宝从阿里巴巴旗下装入自己的公司引发争议，再到2012年与雅虎谈判赎回股份，马云尝试了用各种不寻常的手段，去挽回当年的'卖身'错误。若能以合伙人制度成功上市，则是马云未来走出梦魇的关键一步。"

阿里巴巴合伙人制度

2014年，阿里巴巴在美国成功上市，由此把阿里巴巴的"合伙人制度"聚焦在媒体的头版头条。可能读者会问，阿里巴巴的"合伙人制度"到底是什么呢？所谓阿里巴巴高层合伙人制度，其实就是公司章程中设置的提名董事人选的特殊条款，即由一批被称作"合伙人"的人，来提名董事会中的大多数董事人选，而不是按照持有股份比例分配董事提名权（合伙制的法律规定）①。

2014年6月16日晚，阿里巴巴更新了向美国证券交易委员会递交的招股文件，此前公布的28位合伙人变成27人。其中，创始人七位、2004年以前进入公司的非创始人管理人员九位、2004年以后从外部引进的专业管理人才11位。阿里巴巴合伙人名单见表9-3-1。

① 佚名：《阿里巴巴合伙人制度》，2014年，见http：//snap.windin.com/ns/findsnap.php？ad=0&sitetype=1&sourcetype=1&id=211511124。

表 9-3-1　阿里巴巴 27 位合伙人名单

序号	姓名	职　务
（1）	程立	小微金服集团首席构架师
（2）	戴珊	阿里巴巴集团首席客户服务官
（3）	樊路远	小微金服集团副总裁
（4）	胡晓明	小微金服集团首席风险官
（5）	蒋芳	阿里巴巴集团副总裁
（6）	姜鹏	阿里巴巴集团副总裁
（7）	井贤栋	小微金服集团首席财务官
（8）	金建杭	阿里巴巴集团资深副总裁
（9）	刘振飞	阿里巴巴集团副总裁
（10）	陆兆禧	阿里巴巴集团首席执行官
（11）	马云	阿里巴巴集团董事局执行主席
（12）	彭蕾	阿里巴巴集团首席人才官
（13）	彭翼捷	小微金服集团副总裁
（14）	邵晓锋	阿里巴巴集团首席风险官
（15）	Timothy A. STEINERT	阿里巴巴集团总法律顾问
（16）	童文红	菜鸟首席运营官，资深副总裁
（17）	蔡崇信	阿里巴巴集团董事局执行副主席
（18）	王坚	阿里巴巴集团首席技术官
（19）	王帅	阿里巴巴集团首席市场官
（20）	吴敏芝	阿里巴巴集团副总裁
（21）	武卫	阿里巴巴集团首席财务官
（22）	吴咏铭	阿里巴巴集团资深副总裁
（23）	俞思瑛	阿里巴巴集团副总裁
（24）	曾鸣	阿里巴巴集团首席战略官
（25）	张剑锋	阿里巴巴集团副总裁
（26）	张勇	阿里巴巴集团首席运营官
（27）	张宇	阿里巴巴集团副总裁

可能读者会问，阿里巴巴合伙人是如何选出来的？在回答这个问题之前，我们来看看，成为阿里巴巴合伙人必须满足几个硬条件：首先必须在阿里巴巴工作五年以上，具备优秀的领导能力，高度认同公司文化。当选后的阿里巴巴合伙人，并无任期的限制，直到该合伙人从阿里巴巴离职或退休。对于合伙人在集团事务决策中的权力大小的问题，马云在邮件中并未具体透露。通过前三批阿里巴巴合伙人选举的过程，阿里巴巴认真研讨合伙人章程，对每一个新入选的合伙人都经过激烈的争论，“积累了很多经验”。[①]

在这里，值得读者注意的是，阿里所称的“合伙人”权责是有限的，他们并不能直接任命董事；所提名的董事，仍须经过股东会投票通过才获任命，见图 9-3-1。

图 9-3-1　阿里巴巴提名董事的流程

① 佚名：《阿里巴巴合伙人制度（名单）的前世今生解读》，2014 年，见 http://www.ebrun.com/20140619/102132.shtml。

在阿里巴巴赴美上市之前，根据媒体披露的数据显示，马云持有阿里巴巴的股份大约有 8.9%，而软银和雅虎分别持有阿里巴巴 34.4% 和 22.6% 的股权，具体的情况见图 9–3–2。

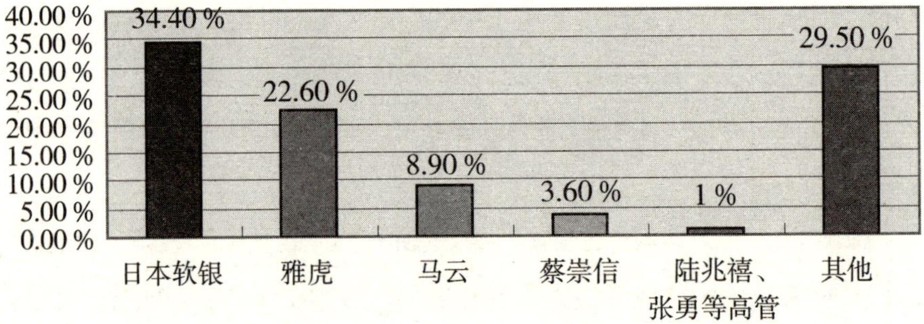

图 9–3–2　阿里巴巴赴美上市前的股权结构

尽管阿里巴巴集团强调，上述制度的出发点，并非是单纯基于商业的考量，而是源自于该公司对自身体系变革和制度升级所需。不可否认的是，阿里巴巴集团制定合伙人制度，其终极目的还是在于更好地控制阿里巴巴这家公司的主导权。

这就是阿里巴巴最终放弃在香港上市的根源所在。学者撰文分析说，在最初阿里巴巴没有优先选择接受双重股权结构的美股，而是将香港作为上市地，但根据惯例，香港证监会通常会拒绝双重股权结构的公司上市要求。关于上市地点是否敲定香港，阿里巴巴的表态亦值得玩味。10 月 10 日，阿里巴巴集团 CEO 陆兆禧公开表示，“决定不选择在香港上市”。但 10 月 14 日，阿里巴巴副主席蔡崇信则更改了口风，称“如果有交易所反悔，我们一定会考虑”。①

① 佚名：《阿里巴巴合伙人制度》，2014 年，见 http：//snap.windin.com/ns/findsnap.php ？ ad=0&sitetype=1&sourcetype=1&id=211511124。

内部邮件解读“阿里巴巴合伙人制度”

在最近两年，由于阿里巴巴和港交所之间妥协的“阿里合伙人制度”一石激起千层浪，在这场博弈中，港交所最终没有放行“阿里合伙人制度”而炒得沸沸扬扬。

在淘宝14周年时，马云对外宣称，从2010年开始，阿里巴巴集团开始在管理团队内部试运行“合伙人”制度，每一年选拔新合伙人加入。对于合伙人的选拔标准，马云在给员工的信中表示，合伙人必须“在阿里巴巴工作五年以上，具备优秀的领导能力，高度认同公司文化，并且对公司发展有积极性贡献，愿意为公司文化和使命传承竭尽全力”。

在港交所私有化后，阿里巴巴再次赴港上市时，包括马云在内的管理层，仅持有阿里巴巴约10.4%的股权，而软银和雅虎分别持有34.4%和22.6%的股权。而马云为了确保自己上市后的控股权，向港交所提出了“双轨制及合伙人方案”。

不过，阿里巴巴的“双轨制及合伙人方案”没有得到香港证监会的认可，甚至也不愿意为阿里巴巴的“合伙人制度”开绿灯。这也就意味着如果阿里巴巴在港交所上市，那么马云将有可能失去阿里巴巴的控制权。在这里，我们来分享一下马云发给员工的邮件全文：

各位阿里人：

最近大家一定从媒体那里，听了不少关于阿里巴巴合伙人制度以及公司上市后控制权的报道。今天是阿里巴巴的14周年庆，正好在这个有意义的日子，向大家汇报一下阿里巴巴合伙人制度的情况。

14年前的今天，阿里巴巴18名创始人正式走上了创业之路。四年前，也就是阿里巴巴十周年庆的时候，我们宣布18名集团的创始人辞去“创始人”身份，从零开始，面向未来。

人总有生老病死的那一天。阿里巴巴的创始人有各种原因会离开这家公司。我们非常明白公司能走到今天，不是18个创始人的功劳，而是他们创建的文化让这家公司与众不同。大部分公司在失去创始人文化以后，会迅速衰落蜕变成一家平庸的商业公司，我们希望阿里巴巴能走更远。

如果不出大的意外，我们公司将有机会参与并见证中国电子商务零售过十万亿那一天。但我们不希望成为一家只是能卖几万亿货的公司，我们希望自己能在未来的发展中，不断培养出无数的如同淘宝、支付宝、余额宝……那样的创新性服务和产品，更希望我们的生态文化能造就更多未来的伟大企业。这才是我们真正想要的！

怎样的制度创新才能实现我们的梦想呢？从2010年开始，集团开始在管理团队内部试运行“合伙人”制度，每一年选拔新合伙人加入。合伙人，作为公司的运营者、业务的建设者、文化的传承者，同时又是股东，最有可能坚持公司的使命和长期利益，为客户、员工和股东创造长期价值。在过去的三年，我们认真研讨合伙人章程，在前三批28位合伙人选举的过程中，对每一个候选人激烈地争论，对公司重要的决策深入讨论，积累了很多经验。在三年试运行基础上，我们相信阿里巴巴合伙人制度可以正式宣布了！

阿里巴巴合伙人的产生必须基于——“在阿里巴巴工作五年以上，具备优秀的领导能力，高度认同公司文化，并且对公司发展有积极性贡献，愿意为公司文化和使命传承竭尽全力”。我们相信只有一个热爱公司、使命驱动、坚持捍卫阿里文化的群体，才能抗拒外部各种竞争和追求短期利益的压力。

有别于绝大部分现行的合伙人制度，我们建立的不是一个利益集团，更不是为了更好控制这家公司的权力机构，而是企业内在动力机制。这个机制将传承我们的使命、愿景和价值观，确保阿里创新不断，组织更加完善，在未来的市场中更加灵活，更有竞争力。这个机制能让我们更有能力和信心去创建我们理想中的未来。同时，我们也希望阿里巴巴合伙人制度能在公开透明的基础上，弥补目前资本市场短期逐利趋势对企业长远发展的干扰，给所有股东更好的长期回报。

正如我们过去一直强调的那样，阿里巴巴并非是某一个或者某一群人的，它是一个生态化的社会企业。运营一个生态化的社会企业，不能简单依靠管理和流程，而越来越多地需要企业的共同文化和创新机制，以制度创新来推动组织升级。我们出台合伙人制度，正是希望通过公司运营实现使命传承，使阿里巴巴从一个有组织的商业公司，变成一个有生态思想的社会企业。为此，集团希望更多的阿里人涌现出来加入合伙人团队，使我们的生态化组织拥有多样性和可传承性，保持源源不竭的发展动力。

各位阿里人，我们不一定会关心谁去控制这家公司，但我们关心控制这家公司的人必须是坚守和传承阿里巴巴使命文化的合伙人。我们不在乎在哪里上市，但我们在乎我们上市的地方必须支持这种开放、创新、承担责任和推崇长期发展的文化。

阿里人，在路上！

阿里巴巴集团董事局主席　马云

2013 年 9 月 10 日

在给员工的邮件中，马云明确表示“不一定会关心谁去控制这家公司，但我们关心控制这家公司的人”，这就意味着掌控阿里巴巴的掌舵者“必须是坚守和传承阿里巴巴使命文化的合伙人”。马云还表示“不在乎在哪里上市，但我们在乎我们上市的地方”，而上市的地方必须支持阿里开放、创新、承担责任和推崇长期发展的文化。在多次沟通无效之后，马云赴美上市，最终因为纽交所接受“双轨制及合伙人方案”而成行。

第十章

赴美上市

我们不在乎在哪里上市，但我们在乎我们上市的地方必须支持这种开放、创新、承担责任和推崇长期发展的文化。

——阿里巴巴创始人　马云

一、将IPO地点选在了美国

2014 年 3 月，阿里巴巴终于正式启动 IPO 了，这个从 2011 年开始唱的一出大戏终于迎来了最高潮。阿里巴巴发布的公告显示，“阿里巴巴今天决定启动在美国的上市事宜，以使公司更加透明、国际化，进一步实现阿里巴巴的长期愿景和理想”。当阿里巴巴把上市地点选在美国之后，将中国互联网企业赴美上市推上了高点。

阿里巴巴 IPO 的真正目的

当阿里巴巴因为合伙人制而“吻别”港交所时，摆在阿里巴巴面前的问题就是在何处上市。这是一个不得不作出的抉择。

2014 年 3 月 16 日，阿里巴巴在公告里写下了这么一句意味深长的话：“未来条件允许，我们将积极参与回归国内资本市场，与国内投资者共同分享公司的成长。”

尽管这背后的博弈和较量近乎人尽皆知，但是阿里巴巴坚持合伙人制，不得不“吻别”港交所。从 2012 年 7 月开始，有关阿里巴巴赴港上市的新闻不绝于耳。在很多学者和专家看来，因为主要业务都在国内，阿里巴巴在港交所上市是第一选择。不过，阿里巴巴对合伙人制度的坚持，使得阿里巴巴与港交所的谈判最终破裂。

为了打破上市僵局，阿里巴巴开始赴美上市谈判。相较而言，美国资本市场支持“AB 股”模式或能让阿里巴巴的合伙人制度有了安身之处。所谓的“AB 股”在纽交所内并不少见，百度在美国上市时就曾采取这种方式，新发行的 A 类股每股一份投票权，而原始股 B 类股，每股则有十份投票权。[①]

当阿里巴巴如火如荼地进行赴美上市时，一些研究者撰文指出，阿里巴巴的合伙人制度也并非完全适用于“AB股”。如，电商观察人士鲁振旺在接受《北京日报》记者采访时说：“AB股的前提是，企业需要发行这两类股票。阿里巴巴的合伙人制度并不能体现这一点，目前阿里巴巴对合伙人并没有具体的持股要求。如果想要在美国上市，它需要对合伙人制度作出调整。”

不过，阿里巴巴成功在纽约上市证明其研究者的担心是不存在的。学者皮海洲撰文评价说：“选择赴美上市，这显然是一个正确的决定。虽然对于赴美上市，阿里方面心存芥蒂，比如，支付宝的历史遗留问题，以及淘宝商品的质量问题，都是受到美国市场方面争议的。而且美国市场严厉的市场监管也让很多中国公司为之谈虎色变。但这些问题相对于阿里的发展来说，只是一些鸡毛蒜皮的小问题，是阿里方面有能力来解决的。[②]

在皮海洲看来，“美国股市正因为有着严厉的市场监管措施，能够有效保护投资者利益，所以美国股市才能够接受‘合伙人’方案。一方面是阿里巴巴要坚持‘合伙人’方案，另一方面美国股市可以接受‘合伙人’方案，只有如此，二者才能一拍即合走到一起来。所以，阿里巴巴选择赴美上市的决定是正确的”。

事实证明，阿里巴巴要成为一家世界级的伟大的公司，必须敢于接受美国资本市场的严厉监管。其利大于弊，主要有两点：第一，严厉监管更加规范阿里巴巴未来的发展；第二，消除一些创业者害怕美国市场严厉监管而不敢赴美上市的误解。

不仅如此，阿里巴巴赴美上市最大的好处就是，美国股市是世界上极

① 张倩怡：《阿里巴巴启动赴美上市》，《北京日报》2014年3月17日。

② 皮海洲：《阿里选择赴美上市是正确决定》，2014年，见http：//finance.sina.com.cn/zl/stock/20140318/092918537716.shtml。

少数可以接纳“合伙人”方案的市场。马云之所以放弃在香港上市，就是坚持阿里巴巴的合伙人制度。阿里巴巴在上市时，合伙人制度没有商量余地。因为从目前阿里巴巴的股权结构来看，对马云及管理层非常不利，算上马云本人持有的阿里巴巴集团 8.9% 的股权，整个管理层的持股比例也只有 10.4%。而日本软银和美国雅虎各持有阿里巴巴集团 34.4% 和 22.6% 的股权，两家外资对应的投票权和董事席位显然足以控制整个公司。①

要想拥有阿里巴巴的控制权，马云必须坚守“合伙人”方案，即构架式股权结构，或 AB 股权结构，以确保以马云为代表的公司管理层对公司的控制权不会因为公司股票上市而旁落。由于这种“合伙人”方案奉行“同股不同权”的原则，而世界各国与地区的股市主要遵守“同股同权”原则，因此，这就使得阿里巴巴这种“合伙人”方案很难被绝大多数的交易所所接纳（港交所就是这方面的典型）。②

挺进国际资本市场

阿里巴巴作为中国规模最大的电子商务公司，在挺进国际资本市场时，其上市历程一波三折。2014 年 3 月 16 日下午，阿里巴巴发布一条简短说明“阿里巴巴决定启动在美国的上市事宜”，这就意味着这场自 2012 年阿里巴巴从港交所退市后开启的悬疑剧终于尘埃落定。最终，阿里巴巴将 IPO 地点选在了美国。阿里巴巴发布公告宣称，“阿里巴巴今天决定启动在美国的上市事宜，以使公司更加透明、国际化，进一步实现阿里巴巴的长期愿景和理想。”

在正式向美国证券监管委员会首次递交上市注册登记书前，阿里巴巴集团董事局主席马云通过内部邮件向阿里巴巴员工正式宣布，并提醒全体

① ② 皮海洲：《阿里选择赴美上市是正确决定》，2014 年，见 http：//finance.sina.com.cn/zl/stock/20140318/092918537716.shtml。

阿里巴巴人，感恩过去，敬畏未来。

在邮件中，马云说："上市从来就不是我们的目标，它是我们实现自己使命的一个重要策略和手段，是前行的加油站。但阿里人要清醒地认识到资本市场巨大利益诱惑背后有着无比巨大的无情和压力。只有很少数的杰出企业能够在资本市场上持久驰骋。阿里巴巴这次在国际资本市场必将会因为规模、期待值、国界意识、文化冲突、区域政经……遭遇空前绝后的挑战和压力。只有坚持我们的坚持，相信我们的相信，我们才有可能在压力和诱惑中度过未来艰辛的87年。能够面临这样全球性挑战的企业并不多，我们荣幸成为其中一个。"

2014年5月7日，阿里巴巴集团向美国证券交易委员会提交招股说明书，招股书显示，阿里巴巴集团计划通过此次交易筹集十亿美元资金，拟在纽约证券交易所或纳斯达克全球市场挂牌。投资银行瑞士信贷、德意志银行、高盛、摩根大通、摩根士丹利和花旗银行将担任阿里巴巴集团首次公开招股的主承销商。以下为阿里巴巴集团招股说明书内容全文：

财务、业绩

2013年2—4季度，阿里巴巴集团营收为404.73亿元，2013财年（截止到2013年3月31日）总营收为人民币345.17亿元，2012财年（截止到2012年3月31日）总营收为人民币200.25亿元。

其中，阿里巴巴集团2012财年来自于中国商务业务的营收为人民币156.37亿元，2013财年为人民币291.67亿元（约合46.92亿美元）；

2012财年来自于国际商务业务的营收为人民币37.65亿元，2013财年为人民币41.60亿元（约合6.69亿美元）；

2012财年来自于云计算和互联网基础设施的营收为人民币5.15亿元，2013财年为人民币6.50亿元（约合1.05亿美元）；

2012财年来自于其他业务的营收为人民币1.08亿元，2013财年为人民币5.40亿元（约合8700万美元）。

阿里巴巴集团2012财年营收成本为人民币65.54亿元，2013财年为人民币97.19亿元（约合15.63亿美元）。

阿里巴巴集团2012财年产品开发支出为人民币28.97亿元，2013财年为人民币37.53亿元（约合6.04亿美元）；

2012财年销售和营销支出为人民币30.58亿元，2013财年为人民币36.13亿元（约合5.81亿美元）；

2012财年总务和行政支出为人民币22.11亿元，2013财年为人民币28.89亿元（约合4.65亿美元）；

2012财年无形资产摊销支出为人民币1.55亿元，2013财年为人民币1.75亿元（约合2800万美元）；

2012财年按照雅虎和阿里巴巴集团签订的技术及知识产权许可协议（TIPLA）修正案的支出为零，2013财年为人民币34.87亿元（约合5.61亿美元）。

阿里巴巴集团2012财年运营利润为人民币50.15亿元，2013财年为人民币107.51亿元（约合17.30亿美元）。

阿里巴巴集团2012财年净利润为人民币46.65亿元，2013财年为人民币86.49亿元（约合13.92亿美元）。

2012财年归属于非控股权益的净利润为人民币–4.37亿元，2013财年为人民币–1.17亿元（约合–1900万美元）；

2012财年归属于阿里巴巴集团的净利润为人民币42.28亿元，2013财年为人民币85.32亿元（约合13.73亿美元）；

2012财年归属于普通股股东的净利润为人民币42.28亿元，2013财年为人民币84.04亿元（约合13.52亿美元）。

阿里巴巴集团2012财年归属于普通股股东的每股基本和摊薄收益分别为人民币1.71元和人民币1.67元，2013财年归属于普通股股东的每股基本和摊薄收益分别为人民币3.66元（约合

0.59 美元）和人民币 3.57 元（约合 0.57 美元）。

阿里巴巴集团 2012 财年调整后 EBITDA（即未计入利息、税费、折旧和摊销前的净利润）为人民币 72.74 亿元，2013 财年为人民币 166.07 亿元（约合 26.72 亿美元）。

业 务

根据产业消息，按照 2013 年总体商品交易量计算，我们是全球最大的在线和移动商务公司。我们把自己的生态圈像平台一样经营，并提供给第三方；我们并不参与直销，与商家展开竞争或是拥有库存。

根据市场调研公司 iResearch 对 2013 年的数据统计，按照总商品量计算，我们运营着中国最大的在线购物目的地淘宝网，以及中国最大的第三方品牌和零售商平台天猫商城；按照月活跃用户计算，我们还运营着中国最流行的团购市场聚划算。上述三大市场组成了我们的中国零售市场。在截至 2013 年 12 月 31 日的 12 个月中，上述市场从 2.31 亿活跃买家和 800 万活跃卖家产生了人民币 1.542 万亿元（约合 2480 亿美元）的交易总额。我们客户中的很大一部分已开始通过我们的移动平台进行交易，我们正在捕捉这一机遇。在截至 2013 年 12 月 31 日的三个月中，移动交易总额占据了我们总交易额的 19.7%，高于上年同期的 7.4%。

在截至 2013 年 12 月 31 日的 9 个月时间中，我们的三大中国零售市场占据了我们营收的 82.7%。除去三大中国零售市场外，我们还运营着阿里巴巴网站（Alibaba.com）、阿里巴巴中国站（1688.com），帮助中小企业接触终端批发零售商的全球速卖通（AliExpress），并提供云计算服务。iResearch 提供的数据显示，按照营收计算，阿里巴巴网站是中国最大的全球性在线批发市场。

通过我们的关联公司支付宝，我们向卖家和买家提供了支付和第三方支付服务，向我们的用户提供了安全、便捷和信任。通过由我们持有48%股权的附属公司浙江菜鸟供应链管理有限公司运营的中央物流信息系统，我们辅佐第三方物流服务提供商完成发货工作。通过我们投资的UC浏览器，我们能够借助它作为移动网络浏览器开发者和运营者的经验，加强我们在电子商务之外的移动产品，如综合移动搜索等。

我们的营收主要来自于商家进行网络营销（通过我们专有的在线营销平台阿里妈妈），以及交易佣金和在线服务的费用。我们还通过会员费、增值服务和云计算服务获取营收。在截至2013年12月31日的九个月时间里，我们的营收为人民币405亿元（约合65亿美元）；净利润为人民币177亿元（约合29亿美元）。我们的财年以3月31日为终止日。

市场机遇

我们的市场机遇主要受以下因素推动：

我们的业务得益于中国消费者购买力的快速提升。根据欧睿国际的统计数据，中国2013年实际社会消费品零售总额占据了国内生产总值的36.5%，远低于美国等其他国家，后者的社会消费品零售总额占据了国内生产总值的66.8%。我们认为，消费水平的进一步增长，将会推动在线和移动电商进入一个更高的层次。

中国在线购物群体仍相对较少。根据中国互联网信息中心提供的数据，截至2013年12月31日，中国拥有全球最多的网民，达到6.18亿人。中国互联网信息中心的数据还显示，2013年中国在线消费者为3.02亿人。我们认为，受互联网用户数量持续增长，以及在线消费者所占网民总数比例的提升，在线消费者的数量将继续增长。

我们认为，消费者扩大在线购买的产品和服务的种类，将会进一步加强在线和移动电商活动。

我们认为，移动设备使用的增加，将让互联网更加便捷，推动更高的在线购物者参与和更多的新应用。中国互联网信息中心提供的数据显示，截至2013年12月31日，中国是全球最大的移动互联网国家，拥有五亿用户。受移动设备采用的不断增长，移动使用预计会继续增长。

由于缺少全国性的实体店零售商、欠发达的实体店零售基础设施、有限的产品选择和不一致的产品质量，中国的线下零售市场面临着重大挑战。我们认为，中国零售基础设施的上述挑战，在一线和二线城市外尤为明显，这也让消费者跃过线下零售市场，青睐在线和移动电商。

中国由全国性和地区性组成的快递服务正在广泛、快速地改进物流基础设施。我们认为，中国分散式的物流基础设施和全国性快递网络的高速发展，已经部分地推动了电子商务的增长，将继续支持消费者和商家在电子商务交易中的特殊需求。

iResearch的报告指出，整体而言，随着更多的消费者进行在线购物，以及每个消费者在线购物平均支出的增加，2013年占据了中国社会消费品零售总额7.9%的在线购物，从2013年至2016年将保持27.2%的年复合增长率。

我们具备的优势

具备强大网络效应、不断繁荣的生态系统。我们引领着一个正在繁荣壮大的生态系统，这给我们提供了以下关键优势：

★ 生态系统的参与者为自己的成功和发展而进行投资；

★ 随着生态系统的扩大和网络辐射效应的增强，参与者之间的互动可以相互创造价值；

★ 我们生态系统的范围及其创造的网络效应，包括淘宝商城带来的庞大买家流量，为我们的其他商场和服务提供了低成本的有机流量，极大减少了我们在营销服务方面对销售团队的依赖。

——移动领先。以移动零售总成交额来计算，我们是中国移动商务领域的领先者，根据艾瑞的数据，在截至2013年12月31日的12个月里，我们在中国的移动零售成交额占据中国移动零售成交总额（不含虚拟商品销售）的76.2%。同样是艾瑞的数据，以每月活跃用户数量来看，自2012年8月发布以来，我们的天猫移动应用已经成为中国最受欢迎的移动商务应用。

——规模庞大的物流平台。我们为自己商城的卖家提供了分布有序、规模庞大的物流平台和信息系统，为买卖双方提供高质量的大规模送货服务。我们的平台战略有助于满足散布于中国各地的数千万卖家和买家对于各种产品的包裹运送的需求。这个网络的规模可以通过以下成功的案件来证明：2013年“光棍节”促销当天我们一共处理了1.56亿个包裹，2013年我们在中国的零售商城平均每天处理1370万个包裹。

——可依靠、规模大、低成本的私有技术。我们开发了可依靠、规模大、低成本的私有技术。我们的技术可以处理商城的大量交易，例如，2013年11月11日“光棍节”促销当天，我们在24小时内成功处理了2.54亿笔订单。

——数据资源。我们商城产生的消费者行为和交易数据，以及生态系统内参与者之间的互动数据，为我们提供了极具价值的资源，有助于我们和卖家提升买家购物体验，更加有效地运营，并推出创新的商品与服务。

——第三方平台商业模式。我们独有的第三方平台商业模式使得我们可以快速扩张，无须像直销公司一样担心风险，以及货源、推销和库存方面的资金需求。这种商业模式提升了我们的利润率，带来了强劲的现金流，这使得我们可以灵活地继续投资、完善平台、拓展生态系统，并积极在人才、技术、创新产品和战略资产方面进行投资。

我们采取的战略

我们业务发展战略的关键因素包括：

★ 增加活跃买家数量和钱包份额。2013年，我们在中国的零售商城活跃买家平均每位下单49笔，高于2012年的39笔和2011年的33笔。我们将继续开发和推广零售商城的价值比例以吸引新买家，并通过频繁的购物和购买更多类别的产品来提升现有买家的钱包份额。我们希望通过用户忠诚项目、高质量的客户服务、营销和推广活动、营销范围的拓展，以及推广我们旗下包括天猫移动应用在内的多款移动商务应用的使用，实现继续发展。

★ 扩大商品类别和数量。我们希望通过开发和推广更多的商品类别与数量来提升消费者购物体验、增加消费者的互动，为商家创造更多的机会。我们坚信，商品和服务类别的增加，以及每个类别商品和服务购买数量的增加，都能够提升平均每位消费者的支出额，并增加成交总额。

★ 扩大移动领先优势。我们希望基于移动商务领域的现有优势，开发出更广阔的消费者商品和服务范围，例如，基于地理位置的服务、O2O服务和数字内容，进而实现我们成为消费者日常生活中心的理想。我们将继续通过战略联盟、投资和收购等方式，探索增加移动用户基数和互动的方法。

★ 在广义上增加卖家的成功。我们希望以广阔范围内增加商城卖家的成功，主要通过提升他们对相关买家需求的曝光度，并为他们提供数据科学应用等更多工具，帮助其管理客户关系。

★ 改进数据及云计算技术。我们将继续实施数据战略，在商城设计、用户界面、搜索、针对营销、物流、地理位置服务、金融服务等多个领域应用数据智能和深度学习技术。另外，我们还将继续在云计算平台方面大笔投资，支持我们自己和第三方的企业。

★ 拓展跨国商务机遇。我们的国际战略专注于对生态系统固有的跨国联系的利用。例如，我们将继续开发国际业务，将海外品牌零售商与中国消费者联系起来（Tmall Global），将中国供应商与国际零售市场（全球速卖通）和国际批发市场（Alibaba.com）联系起来。

阿里巴巴的伙伴关系

自从1999年我们的公司创始人首次在马云的公寓里集会以来，他们及管理团队就一直坚持合伙人的精神。我们将文化看作我们取得成功、服务客户的能力、提升员工、为股东带来长远价值的根本。2010年7月，为了保持合伙人精神，确保公司使命、远景和价值观的可持续性，我们决定将这种合伙人关系正式定义为“湖畔合伙人”(Lakeside Partners)，以当初公司成立时马云和其他创始人集会的“湖畔花园”小区来命名。我们将这种合伙人关系称作阿里巴巴合伙人关系。

我们坚信，我们的合伙人关系策略帮助我们更好地管理业务，使高管人员相互协作，克服官僚主义和等级制度。目前阿里巴巴合伙人关系共有28个成员，其中包括22名公司管理团队的成员，六名相关公司和附属公司管理团队的成员。这种合伙人关系依据一些原则、政策和程序来运行，而且随着我们业务的发展，这些原则、政策和程序也会进行改进。描述如下：

我们的合伙人制度是一个动态的实体，每年都会通过补充新成员、确保优秀、创新和稳定来保持年轻活力。

新的合伙人每年通过提名、选举来产生，这其中需要符合一系列标准，包括至少五年任期，获得合伙人75%赞成票等。合伙人的投票按照每人一票来计算。

合伙人是我们公司使命、远景和价值观的构思者，不仅在公司内部如此，对公司以外的用户、企业合作伙伴和其他生态系统参与者来说都是如此。

我们要求每位合伙人在任期内保留一定水平的公司股权。

我们面临的挑战

我们坚信，一些重大风险和不确定性可能会给我们带来严重的负面影响，这其中包括：

★ 未能保持我们生态系统的受信任地位可能会严重损害我们的声誉和品牌；

★ 我们或许无法保持或提升生态系统的网络效应；

★ 我们的运营哲学可能会给短期财务业务带来负面影响；

★ 我们可能无法成功实现移动流量变现；

★ 我们可能无法保持自己的文化，而文化一直是公司取得成功的关键；

★ 我们可能无法有效创新或竞争；

★ 如果支付宝服务受限，我们的业务将受到损害；

★ 我们可能无法保持营收增幅，增加企业投资可能会影响利润率；

★ 我们的营收和净利润可能会受到中国及全球经济下滑的严重负面影响；

★ 我们的可变利益实体结构存在的风险和不确定性；

★ 中国的监管和法律制度很复杂而且正在完善，未来的监管可能会给我们的业务提出更多要求。

公司董事会、高管及持股情况

目前公司董事会情况如下。到此次IPO完成时，我们预计董事会人员能够达到9名。

马云，49 岁，执行董事长

蔡崇信，50 岁，执行副董事长

孙正义（软银 CEO 无个人持股），56 岁，董事

杰奎琳·雷瑟斯（Jacqueline D.Reses 雅虎执行副总裁无个人持股），44 岁，董事

以下是公司高管的信息：

马云，49 岁，1999 年加入阿里巴巴，执行董事长

蔡崇信，50 岁，1999 年加入阿里巴巴，执行副董事长

陆兆禧，44 岁，2000 年加入阿里巴巴，CEO

张勇，42 岁，2007 年加入阿里巴巴，COO

武卫，45 岁，2007 年加入阿里巴巴，CFO

王坚，51 岁，2008 年加入阿里巴巴，CTO

石义德，54 岁，2007 年加入阿里巴巴，总法律顾问

截至 2013 年 12 月 31 日，马云持股 206,100,673 股，持股比例为 8.9%；蔡崇信持股 83,499,896 股，持股比例为 3.6%；孙正义和杰奎琳·雷瑟斯没有个人持股，公司其他高管的持股比例均不足 1%。

机构投资者当中，软银持股 797,742,980 股，持股比例为 34.4%；雅虎持股 523,565,416 股，持股比例为 22.6%。

当阿里巴巴向美国提交招股书，也就意味着阿里巴巴挺进国际资本市场拉开了序幕。《杭州日报》评论说："阿里巴巴赴美上市，无论是对资本市场，还是全球电子商务行业，都是一件备受瞩目的大事。马云强调，作为一家互联网公司，阿里巴巴幸运地生存了下来，而且比当年想象得好的多，这需要感恩这个时代。"①

① 张丽华：《阿里巴巴正式赴美上市》，《杭州日报》2014 年 5 月 8 日。

根据招股书披露的阿里巴巴集团股权结构，创始人马云是阿里巴巴集团最大的个人股东。此外，日本软银集团持股 34.4%，雅虎持股 22.6%，马云持股 8.9%，阿里巴巴联合创始人蔡崇信持股 3.6%。[①]

2014 年 9 月 19 日，阿里巴巴正式登陆纽交所，发行价 68 美元，阿里巴巴也以 218 亿美元的融资额创造了美股史上的最大规模的 IPO，阿里巴巴再次创造了历史。此前，Visa 在 2008 年以 197 亿美元融资额创下美股史上最大 IPO 纪录。美国科技股近年来最大规模 IPO 由脸谱创下，融资额为 160 亿美元。[②]

二、赴美上市一举四得

阿里巴巴成功赴美上市之后，一大批创业者和投资家无疑会成为亿万富翁或者收获极为丰厚的回报。而对于阿里巴巴赴美上市的消息，著名财经评论员叶檀在其实名微博中发表由衷的赞许，她表示："阿里在美上市，马云获胜。一拆除雅虎、软银股权地雷，二通过合伙人制获绝对控制权，三留下支付宝后手，成为现金牛。"意指马云带阿里赴美上市，有一举三得之效。[③]不仅如此，还规范了阿里巴巴的职业化管理，阿里巴巴正式迈入职业经理人时代，而"创始人"概念更加淡化，可以说是一举四得。

① ② 张遥、章苒：《阿里巴巴赴美上市前景如何》，2014 年，见 http：//news.xinhuanet.com/tech/2014-05/07/c_126473227.htm。

③《东亚经贸新闻》：《阿里将在美上市》，《东亚经贸新闻》2014 年 5 月 8 日。

“创始人”概念更加淡化

对于任何一个企业而言，随着企业社会化的开展，越来越多的职业经理人进入企业。在我研究家族企业时发现，社会化是家族企业做强做大的一个非常重要的因素。所谓家族企业的社会化，其阶段有以下三个，见表 10-2-1。

表 10-2-1　家族企业社会化的三阶段

（1） 管理社会化	家族企业的非家族化管理是家族企业社会化的第一步。在家族企业社会化的进程中，最先遇到的就是家族企业在管理上的社会化。因为家族企业一旦规模扩大，实行多元化经营，必然使得家族企业内部的人才短缺与家族企业的运行要求相矛盾。这就会迫使家族企业将人才的目光转向家族之外。所谓家族企业管理社会化不仅指家族企业的所有权和经营权两权分离，更为重要的是，家族企业由非血缘关系组成决策机构，即职业经理人团队来经营家族企业，而家族企业的控制权依然在家族手中。目前，我国大多数上了一定规模的家族企业都聘任了外人担任家族企业的重要管理者，如，总经理、总会计师等。家族企业的规模越大，其所从事的行业技术构成越高，家族企业管理社会化的进程就会越快，因为在这样的情况下，家族企业管理社会化的要求会越强烈。因此，家族企业管理社会化其实就是由家族占据企业控制权，而由职业经理人团队来管理企业。
（2） 所有权社会化	家族企业所有权社会化主要是指，在某种程度上稀释家族企业的股份，使家族企业的股份公众化。在家族企业财产的所有者构成中，非家族成员占有相当的比重，也就是说，家族企业财产所有权不再是某个家族独有，传统的仅限于家庭成员持有 100% 的股权就被打破了。当家族企业所有权社会化后，其拥有者不再是家族成员，可能血亲关系已经非常淡化，甚至是没有血亲关系。
（3） 管理和所有权社会化	家族企业管理和所有权社会化，这类家族企业已经完全摆脱、褪掉家族色彩。可以说，这类家族企业已经不再被公众认为是一个家族企业了。所谓家族企业的完全社会化指的是家族企业完全脱离了家族色彩，家族在企业中不再具有优越的地位，家族成员成为企业中的一般成员。

从表 10-2-1 可以看出，社会化改造不仅是家族企业适应世界经济社会化大生产的要求，更是家族企业为了提升竞争优势的一个重要因素，同时还是强抢市场份额的一个有效手段，以及打败非家族跨国企业的需要。

当然，在家族企业社会化的过程中，表 10-2-1 中的三个阶段并非都是单独分开的。由于家族企业自身的情况不同，在社会化的过程中，家族企业社会化采取的方法和阶段可能迥然不同。

在阿里巴巴这个企业中，这样的社会化阶段同样存在。当阿里巴巴在新提交的招股书中披露最终的合伙人"27 人名单"时，阿里巴巴的权力金字塔全貌已经非常清晰，阿里巴巴集团内部权力的迁徙途径也逐渐显现，其"创始人"概念也更加淡化。

在招股书中介绍，无论谁进入合伙人名单，名单上的所有人必定效忠于"塔尖"——阿里集团的创始人与永久合伙人马云。但金字塔的中坚力量却总有权力换手、座次更迭，这样才足以保证最新鲜、最活跃的血液能源源不断地注入，支撑这个互联网巨人艰苦的乱世征途。①

正如 2013 年马云在内部邮件中回望"十八罗汉"14 年"二次创业路"感慨的那样："14 年前的今天，阿里巴巴 18 名创始人正式走上了创业之路。四年前，也就是阿里巴巴十周年庆的时候，我们宣布 18 名集团的创始人辞去'创始人'身份，从零开始，面向未来。"一旦阿里赴美上市的钟声敲响，对于阿里的"27 人"合伙人阵营，这未尝不是新的"创业路"。②

为了更好地推行阿里巴巴的社会化，2009 年，马云有针对性地提出"合伙人"制度，其目的是实现创始人到职业经理人的过渡，马云的做法被业界视同宋太祖的"杯酒释兵权"。

① ② 凤凰网：《真相 80 分第 99 期：从合伙人名单看阿里权力迁移》，2014 年，见 http：//finance.ifeng.com/business/special/zhenxiang99/。

客观地讲，阿里巴巴的十八罗汉还远没有位高权重到“功高震主”的地步。其中少数人离职，三四个人在高层，其余人多数在中层岗位默默无闻，成为阿里名副其实的“中坚力量”。值得注意的是创办淘宝网的骨干孙彤宇，帮助淘宝网从一个小网站成长为最大的网上消费市场，是早期阿里巴巴最大的功臣之一，仅次于马云的二号人物。[①]

为了更好地让阿里巴巴能够存活 102 年，马云着手了社会化改革。2007 年 12 月 24 日，马云通过内部邮件宣布高管轮休方案，在其后的 2008 年 3 月 1 日，早期阿里巴巴最大功臣之一的孙彤宇即告辞职，创办了博卡思教育软件公司。

马云的妻子彭蕾，尽管是马云的肱股之臣，也同样在调整之列，不过是任小微金融服务集团的 CEO。

在阿里巴巴公布的合伙人名单中，曾经的 18 名创始人仅仅只有七人进入了阿里巴巴合伙人团队，他们分别是：马云、蔡崇信、吴咏铭、彭蕾、戴姗、金建杭和蒋芳。在阿里巴巴的在合伙人中竟然占比不足三分之一。

内部培养职业经理人成为常态

在阿里巴巴的上市路线图中，为了配合上市，在 2013 年年初，马云调整了阿里巴巴组织架构。将以前的“七剑下天山”的组织结构调整为 25 个小事业群，见图 10-2-1 和图 10-2-2。可以肯定地说，阿里巴巴此次组织结构调整是阿里巴巴成立以来最大的一次。

① 凤凰网：《真相 80 分第 99 期：从合伙人名单看阿里权力迁移》，2014 年，见 http：//finance.ifeng.com/business/special/zhenxiang99/。

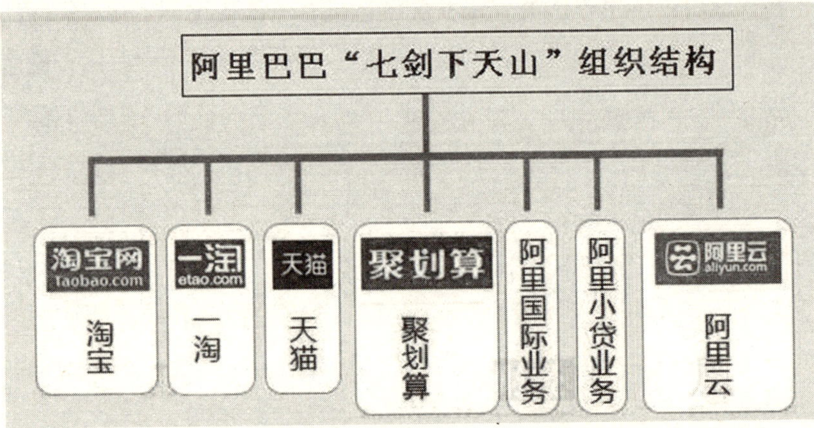

图 10-2-1 阿里巴巴的“七剑下天山”

从图 10-2-2 中可以看出，阿里巴巴的 25 个小事业群主要由九位阿里巴巴的高管来统领。具体的名单是：姜鹏（三丰）、张勇（逍遥子）、张宇（语嫣）、陆兆禧（铁木真）、吴咏铭（东邪）、张建锋（行颠）、王坚、叶朋（傲天）、吴敏芝。

姜鹏
花名：三丰
- 共享业务事业部
- 商家业务事业部
- 阿里妈妈事业部
- 一淘及搜索事业部

张勇
花名：逍遥子
- 天猫事业部
- 物流事业部
- 良无限事业部
- 航旅事业部

张宇
花名：语嫣
- 类目运营事业部
- 数字业务事业部
- 综合业务事业部
- 消费者门户事业部
- 互动业务事业部

阿兆禧
花名：铁木真
- 数据平台事业部
- 信息平台事业部
- 云 OS 事业部

吴咏铭
花名：东邪
- 无线事业部
- 旺旺与客户端事业部
- 音乐事业部

张建锋
花名：行颠
- 聚划算事业部
- 本地生活事业部

王坚
- 阿里云事业部

叶朋
花名：傲天
- B2B 中国事业部

吴敏芝
- B2B 国际事业部
- B2C 国际事业部

图 10-2-2 阿里巴巴的 25 个小事业群

在这九位高管中，陆兆禧、姜鹏、张建锋、张宇、吴敏芝五位高管是由阿里巴巴内部培养的，吴咏铭是阿里巴巴的创始人元老，占据着阿里巴巴的六大重要岗位。

在这些高管中，作为阿里巴巴现任 CEO 的陆兆禧，不仅是马云的继任者，同时也是阿里巴巴内部培养的高管。

1988 年，陆兆禧考入广州大学，专业是酒店管理。陆兆禧大学毕业后，便进入酒店工作。陆兆禧从服务生开始起步，一步步地做到大堂经理、客房经理、餐厅经理等职位。

1997 年，陆兆禧邀请朋友创办一家网络通信公司。然而，仅仅创业两年后，陆兆禧经在阿里巴巴工作的一位好友的力荐加盟了阿里巴巴。

其后，陆兆禧历任华南大区最高负责人、阿里巴巴集团副总裁兼任支付宝总裁、淘宝网 CEO 兼总裁及阿里巴巴集团执行副总裁等职位。2013 年 3 月 11 日，阿里巴巴集团董事局宣布，任命陆兆禧为阿里巴巴集团 CEO。

从陆兆禧的简介中不难看出，陆兆禧是一步一个脚印成长起来的。马云在公开场合对陆兆禧的业务能力、学习能力和领导能力等多方面都给予了高度评价。马云说："不仅仅热爱并熟悉集团各项业务，参与阿里的文化和组织建设，培养了众多人才，而且有自己独特的领导风格和魅力。对新事务的欣赏和学习能力，对关键问题的判断和决断力，以及强大的执行力令人印象深刻；更重要的是，在阿里 13 年的经历造就了他乐观且坚韧不拔的毅力，和对小企业、消费者的忠诚和感恩。"

陆兆禧是阿里巴巴内部培养的高管之一，在 2004 年前进入阿里巴巴，由阿里巴巴内部培养出来的合伙人共有九位，他们是：陆兆禧、姜鹏、彭翼捷、童文红、王帅、吴敏芝、张建锋和张宇。

阿里巴巴步入职业经理人时代

在撰写《命门：中国家族企业死亡真相调查（升级版）》一书时，我就专门谈及家族企业要想做强做精，职业经理人的功劳不可小觑。因为在王朝的接班中，历史学家许倬云坦言："一个朝代的盛衰，归结为一句话，就是公权力的核心是不是开放的。"其实，这个道理也适用于家族企业的接班。

家族企业在创业阶段，其发展都较为迅猛，因为家族企业的模式管理在此阶段发挥了非常重要的作用，但是随着家族企业创始人的衰老、家族企业规模的扩张，及其家族成员管理知识的匮乏或者管理人才的短缺，又加上中国实行独生子女政策，家族企业引进职业经理人就成为家族企业创始人不得不做的事情。

而《21 世纪》以"有没有一个标准模式去挑选合格的职业经理人？有没有成功的案例，让职业经理人能带领家族企业走向成功？"为问题采访香港中文大学教授范博宏时，范博宏是这样回答这个问题的："目前还无法找到一个标准模式去选择职业经理人，毕竟各行各业的具体情况不同，但在香港可以找到一些成功的案例。比如，利丰集团。利丰集团有一百年的历史，到现在是第三代，第三代的家族成员还不够成熟，仍在培养中，所以他们聘请一个职业经理人来担任领导。利丰集团在香港建立了一个比较健全的职业经理人激励模式，它对于职业经理人的激励还有薪酬，都是非常到位的。这跟很多内地企业不同，内地很多的薪酬制度还停留在'重赏之下必有勇夫'的粗放式经营。"

在阿里巴巴的创业中，当年的"十八罗汉"其实也是泛家族企业创业，当阿里巴巴发展到一定规模，其社会化是一条必然的发展。为了更好地内部培养和引入职业经理人，在 2009 年，阿里巴巴就开始辞任创始人，开始向职业经理人制度转型。2010 年，阿里巴巴共清理了逾千名涉嫌欺诈的"中国供应商"客户，时任阿里巴巴 CEO 卫哲、COO 李旭晖因此引咎辞职。在危难之际，原淘宝网 CEO 陆兆禧接任。

当卫哲、李旭晖辞职之后，马云个人乃至阿里对职业经理人的重用势头一时之间都陷入了停滞。某主流媒体的官方微博分析了卫哲"被辞职"其中两点原因耐人寻味：阿里巴巴上市初期，卫哲此前的身份可以迎合投资者，至今任务已完成；阿里巴巴创业团队重新被重用的大势。[①]

当然，这样的解读有其合理性，但是为了让阿里巴巴能更好地达到期望的速度，调整职业经理人也是情理之中的事情。在高管调整中，除了张勇，阿里巴巴的职业经理人高管先后经过几次调整，包括阿里巴巴原CEO卫哲，COO李旭晖、李琪，CTO吴炯，等等。

根据阿里巴巴公开披露的合伙人名单分析，阿里巴巴步入职业经理人时代已经刻不容缓。在这样的境况下，阿里巴巴启用COO张勇代替陆兆禧管理无线业务的人事更替。究其原因，是COO张勇对客户、市场需求方面的敏感程度远超过陆兆禧"大工业时代"的人海战术。不仅如此，COO张勇是财务出身，曾在安达信、普华永道两大会计师事务所就职；2005年，张勇就职于盛大网络，历任财务总监、副总裁兼CFO。

其后，阿里巴巴再次调整职业经理人高管，阿里小贷原负责人胡晓明调任阿里小微金融服务集团（筹）首席风险官。究其原因，由于传统银行势力与监管层对阿里的互联网金融业务有所警示，由于胡晓明最早开始进入互联网金融研究，其担任阿里小微金融服务集团（筹）首席风险官可谓是临危受命。

在阿里巴巴的调整中，邵晓峰也在调整之中，负责协调各子公司之间的运营，甚至将情况直接向马云报告。

在此次阿里巴巴的大调整中，进入阿里巴巴合伙人名单中有11名是在2004年之后进入阿里巴巴的，是阿里巴巴从社会各界引入的职业经理人，涉及财务、法务、技术等各个专业领域。在11名合伙人中，最早加入的迄今为止已在阿里工作了近九年，名单中包括樊治铭、胡晓明（孙权）、井贤栋、刘振飞、邵晓锋、Timothy A.STEINERT、王坚、武卫、俞思瑛、曾鸣、张勇（逍遥子）。[②]

---

①② 凤凰网：《真相80分第99期：从合伙人名单看阿里权力迁移》，2014年，见http：//finance.ifeng.com/business/special/zhenxiang99/。

三、赴美上市获绝对主导权

在阿里巴巴赴美上市中，阿里巴巴再次成为媒体的头条，为了保持对阿里巴巴的控制权，马云始终坚持合伙人制度，最终赢得美国认可，终于在纽约上市。关于上市，马云在内部邮件中谈道："阿里上市不是目的，只是实现使命的一个重要策略和手段，是前行的加油站。"因此，资深专家研究后分析指出，阿里巴巴成功赴美上市，不仅规范了阿里巴巴的管理，更有看点的是，马云及其合伙人团队获得了对阿里巴巴的绝对主导权。

获得绝对主导权

研究发现，阿里巴巴不管是在香港上市，还是在美国上市，并非都是为了融资的问题。在马云的融资经验中，在最赚钱时才往往考虑融资。因此，阿里巴巴并不是缺乏资金。阿里巴巴上市，更多倾向于如何保持阿里巴巴的控制权，多于其上市可以筹得的金额。

据阿里巴巴公开的资料显示，整体管理团队占公司股权的 10.4%，当中马云个人占 8.9%。日本软银占 34.4%，雅虎占 22.6%。作为阿里巴巴早期投资人，雅虎于 2012 年 5 月与阿里巴巴签署协议，允许阿里巴巴有权以其上市价回购雅虎所持 22.6% 股权的一半，或是允许雅虎于阿里巴巴上市时沽售这些股份予第三方。双方回购协议建基于一个先决条件，就是只适用于阿里巴巴 2015 年年底之前上市。如阿里巴巴无法于 2015 年 12 月前上市，就将失去向雅虎回购股权的权利。由此，这两家科技巨头未来或须重新商议，而这是马云所不乐见的。[①]

在这样的背景下，阿里巴巴开启了赴美上市的征程。2014 年 3 月 16 日，在阿里巴巴宣布启动赴美上市相关事宜的时候，该集团新闻发言人杨磊磊向媒体表述了阿里巴巴赴美上市的目的："阿里巴巴今天决定启动在美上市事宜，以使阿里巴巴更加透明、国际化，进一步实现公司的长期愿景。未来条件允许，我们将积极参与回归国内资本市场。"

当阿里巴巴对外宣布把上市地点选在美国后，财经评论员叶檀分析认为，阿里巴巴选择今年赴美 IPO，时间、地点都比较恰当。她说："之所以在美国上市是因为第一在 A 股上不了市，A 股不能满足他的两大条件：融资额和 AB 股东分割。他本来想在香港上市，但是香港在制度上没有 AB 股，不能保证创始大股东的权益，所以最后选择了美国上市，第一有大量的资金，第二美国对创新公司网开一面，有 AB 股的设计。"

在叶檀看来，由于中国内地股市存在着诸多问题，再加上阿里巴巴所坚持的合伙人制度，这样的条件显然使得阿里巴巴几乎不可能在中国内地股市上市。即使马云最看好的上市地是香港，由于香港奉行"同股同权"政策，无法接受阿里巴巴提出的合伙人制度，最终使得马云放弃在香港上市。

叶檀表示，阿里巴巴在美上市后，从自身来看，可以进一步厘清内部股权关系，为今后的发展扫除隐患。软银和雅虎这两家一度占到阿里超过 50% 股份的外资大股东的股份将进一步削减，马云等管理层将占据对公司的绝对主导权。[②]

叶檀评论说："通过上市之后，雅虎要退出 22.6% 里的 12%，也就是一半的股权要退出，而软银也不再对于阿里的管理层有控制能力，所以阿

---

① 凤凰网：《阿里梦碎香港》，2014 年，见 http：//tech.ifeng.com/internet/special/alixianggang/。

② 李琳：《专家解析阿里巴巴为何赴美上市》，2014 年，见 http：//gb.cri.cn/44571/2014/09/19/7851s4697942.htm。

里的管理层占据了绝对主导权，最利好的当然是马云先生本人，接下来利好的是像软银、雅虎这样的公司，他们会获得现金流。”

创始人控制权得到保障

2014 年 5 月 7 日，阿里巴巴向美国提交的招股书犹如一颗重磅炸弹引起媒体的纷纷报道，因此顺理成章地成为整个市场的焦点。为了保住对阿里巴巴的控制权，马云精心布局和安排了控制权，不过其合规性和可行性一直被媒体和研究者质疑。

据《21 世纪经济报道》称，与市场此前的期待不同，尽管阿里巴巴在美国上市，可以选用简单、直接的双重股权结构（俗称“AB”股）确保创始股东的控制权，但在长达数百页的招股书中，却对是否考虑采用 AB 股结构上市，只字未提。反而，除首次披露各项核心财务数据之外，阿里巴巴此次在招股书中，耗用大量篇幅来向市场解读自己的合伙人制度，并首次披露了上市之后与大股东软银、雅虎之间的投票权协议。①

在招股书中强调投票权足以看出阿里巴巴的深谋远虑。可能有读者会问，合伙人制度、投票权协议、AB 股架构，三大“保险栓”阿里已上其二，问题是，在如此严密的安排之下，AB 股架构是否还有其必要？阿里巴巴在招股书中给出了答案。

招股书显示，“我们的合伙人制度与 AB 股结构不同，AB 股结构下高投票权的股份集中在少数创始人手中，而我们则涵盖了更多管理层合伙人”。

可以说，招股书既解释了其特有的合伙人制度，又在招股书中解释称，合伙人制度的好处是，既能保持公司创始人构建起的价值观，又能考虑到合伙人退休后的更新换代。阿里巴巴的做法得到了香港一

①《21 世纪经济报道》：《未完待续：阿里巴巴“控制权”选择题》，《21 世纪经济报道》2014 年 5 月 8 日。

家外资律所合伙人的高度肯定，说：“合伙人制度是保证了董事的提名权，而投票权协议则是保证了投票过程和投票结果，二者的目的和作用不同。”

在香港一家外资律所合伙人看来，尽管合伙人制度与 AB 股结构可以实现类似的目的，但根据阿里巴巴此次披露的信息判断，合伙人制度可以说是比 AB 股结构“更厉害的安排”。①

在阿里巴巴的招股书中披露了阿里巴巴集团的持股状况：日本软银集团占比 34.4%，雅虎占比 22.6%，马云占比 8.9%，阿里巴巴联合创始人蔡崇信占比 3.6%。

在阿里巴巴公开的招股书还显示，当阿里巴巴 IPO 完成后，阿里巴巴与马云、蔡崇信、软银以及雅虎将达成一项投票权协议。马云这样做的目的还是确定各大股东对阿里巴巴的控制权。

根据阿里巴巴的投票协议显示，阿里巴巴最大机构股东——软银集团将有权提名一名董事会成员，但不得投票撤换非马云和蔡崇信同意撤换的董事；此外，软银同意将其所持股份的投票权全部授权至由马云和蔡崇信控制的表决权信托。

按照目前软银持股 34.4% 计算，阿里上市后，马云和蔡崇信的投票权将以 46.9%（计算方法：8.9%+3.6%+34.4%=46.9%）的控股权进行换算，而且这还不包括此次上市阿里将回购雅虎手中的股票。②

阿里巴巴在上市之后，股权分散是一个不能回避的问题，要想保持对阿里巴巴的控制权，就需要一个 AB 股结构，这样做的目的是，避免阿里巴巴上市后，在股权被稀释时，投票权相应被稀释，这样的风险就意味着失去对阿里巴巴的控制权。在赴美上市之前，阿里巴巴经过长时间的权衡，为了坚持保持阿里巴巴的控制权，最终决定放弃在“同股同权”的香

① 《21 世纪经济报道》:《未完待续：阿里巴巴“控制权”选择题》,《21 世纪经济报道》2014 年 5 月 8 日。

② 张丽华:《阿里巴巴正式赴美上市》,《杭州日报》2014 年 5 月 8 日。

港上市，而选择赴美上市。究其原因，是因为美国资本市场接受和认可AB股结构，比如，谷歌、脸谱等公司都采用这种AB股权结构，从而更好地保证了创始人对企业的控制权。

合伙人制度的控制力更有效

尽管阿里巴巴想尽办法获得控制权，但是摆在阿里巴巴面前的问题是鱼和熊掌不可兼得，这就要求马云在控制权和收益之间必须作出一个可控制的选择。

在招股书中披露，阿里巴巴修订后的公司章程将在上市之后生效，其中规定，合伙人可提名过半数董事会成员，大股东中仅软银有权提名一名董事会成员。而阿里巴巴与软银、雅虎达成的投票协议约定，软银同意将超过30%以外部分的投票权交给马云和蔡崇信行使。马云和蔡崇信目前分别持有阿里巴巴8.9%和3.6%的股权。①

对于阿里巴巴这样的安排，香港一家外资律所合伙人坦言："股东之间通过签订投票权协议来把零散的股权集中起来行使，是很常见的安排。"

在香港一家外资律所合伙人看来，在这种安排下，通常会约定参与协议的股东的持股比例不能低过一定水平。这一要求同样适用于软银。招股书披露的信息显示，软银需持有至少15%的股份才可享有董事提名权。根据现有安排，除非股东大会另有决定，阿里巴巴的董事会成员将共设九名，也就是说其中将有五名董事由合伙人提名，一名由软银提名，剩下三名由提名委员会提名。

香港一家外资律所合伙人在接受媒体采访时强调："在阿里巴巴的安排下，可以说股东对于董事会成员只有否决权。"正是因为股东对于董事会成员只有否决权，才是香港没有认可阿里巴巴的合伙人制度的核

①《21世纪经济报道》:《未完待续：阿里巴巴"控制权"选择题》,《21世纪经济报道》2014年5月8日。

心所在。

在香港的上市公司中，任何一个股东或持股比例5%以上的股东都有权提名董事。这与阿里巴巴的合伙人享有的“特别提名权”的合伙人制度与香港上市规则相冲突。如果某一名被提名的董事没有被股东“看中”或由于某些原因离开董事会，那么有权提名的机构可以指派另一人作为临时董事，直到下一届股东大会召开时。在下一届股东大会时，被委派的临时董事或者继任的提名董事将参与选举。[①]

毋庸置疑，香港的上市规则无疑将限制股东对任何在董事会层面决定事情的权利。对于投资人面临的风险，阿里巴巴这样警示，除非阿里巴巴的公司章程改变，否则无论阿里巴巴的控制权变动还是发生并购事宜，合伙人的提名权都将伴随合伙人制度一直存在。与双重股权结构相比，法律界人士认为，阿里巴巴独创的合伙人制度的控制力无疑更胜一筹。[②]

香港一家外资律所合伙人解释说：“合伙人制度和股权之间的关系是割裂的，持股多不一定可以成为合伙人，而成为合伙人也不一定要求持股需达到一定比例；而在双重股权结构下，享有权利的前提是要达到一定的持股比例。”

事实上，尽管阿里巴巴的合伙人制度要求合伙人须持有一定股份，不过并未指明具体的持股数量。阿里巴巴在招股书中介绍道：“为了确保合伙人的利益与股东一致，我们要求每个合伙人在其任期内须持有一定数量的股份。”

招股书显示，要想成为阿里巴巴的候选合伙人，一般必须在阿里巴巴或关联企业、附属企业任职超过五年，在成为合伙人时，一般都会持有一定数量股份或通过股份激励计划获得一定股份。[③]

①②③《21世纪经济报道》:《未完待续：阿里巴巴“控制权”选择题》,《21世纪经济报道》2014年5月8日。

附录：阿里巴巴上市前的公开信

尊敬的投资者：

当您打开这份阿里巴巴上市招股书的时候，您也许在考虑投资我们，参与我们未来发展的旅程。我希望能在这封短短的信里与您分享一些我们对未来的信念和看法，以便您作出最终的选择。

我们的使命和愿景

阿里巴巴是一家真正相信并践行使命驱动的公司。15 年来，我们固执地坚守了“让天下没有难做的生意”这一使命，帮助中小企业解决生存、成长和发展的问题，我们与成千上万的小企业一起靠理想、靠努力、靠市场成就了更好的自己。未来我们将一如既往与客户共同努力，成为一家生存 102 年，也就是横跨三个世纪的公司。

与其他高科技公司有所不同，我们不是一家拓展技术边界的科技公司，而是一家通过持续推动技术进步，不断拓展商业边界的企业。我们不是靠某几项技术创新，或者几个神奇创始人造就的公司，而是一个由成千上万相信未来、相信互联网能让商业社会更公平、更开放、更透明、更应该自由分享的参与者们，共同投入了大量的时间、精力和热情建立起来的一个生态系统——正如今天你们所看到的。

很多年前，我们公司的创始人就渴望成立一家由中国人创办，但是属于全世界、属于这个时代的公司。过去十多年，我们一直以中国因为我们发生了什么变化来衡量我们的成就感，未来，我们将会以世界因为阿里巴巴发生了什么正向变化来衡量我们是否是真正的成功。这会是巨大的挑战，但更会是一个难得的福报。这要求我们每一天都做到最好，但是更重要的是，需要我们坚持长期的投入、规划和完美的执行。

我们基于生态系统的商业模式

阿里巴巴的使命决定了公司不会成为一家商业帝国。我们坚信只有打造一个开放、协同、繁荣的商业生态系统，令生态系统的成员有能力充分参与其中，这样才能真正帮助到我们的客户，也就是小微企业和消费者。作为这一生态系统的运营者和服务者，我们倾注了我们所有的心血、时间和精力，用以保障和推动这个生态系统及其参与者更加蓬勃发展。我们取得成功的唯一方法是让我们的客户，我们的合作伙伴成功。

我们一直坚信，身处21世纪的企业必须以解决社会问题为己任。阿里巴巴集团的发展从一开始就植入了社会责任的基因。我们相信一个健康繁荣的生态系统是我们商业模式的根基，而这需要通过持续解决社会问题和承担社会责任来实现。

互联网给了我们一个“千年一遇”的机会，让我们能在中国建立一个全新的商业生态系统。然而，这个变革性的工作并不容易，它要求我们必须保持一致，跨领域合作，并且始终聚焦在打造我们生态系统以及生态系统参与者的长远利益上；它要求生态系统最大限度地公平、透明和高效。这不仅是我们道德上的责任，也是我们自身生存和发展的基础。这个复杂的生态系统注定了不会呈现简单的商业模式。同样，因为我们的复杂系统，也让竞争者不容易轻易模仿。

假如您购买了我们的股票，您也会成为我们生态系统里的一部分。在全力保障您的利益的同时，我们也会希望并请您和我们一起努力确保生态系统更加持久健康地发展。

我们将如何面对挑战

过去的15年，我们走得并不容易，在一片的争议和挑战中，走到了今天。尽管天天如履薄冰，我们还是常常发现必须面对复杂局面，平衡与协调各方利益，并作出艰难选择：买家卖家的利益，卖家间的竞争关系，创业精神和监管者的关系，开拓创新和稳健保守的关系，诸如此类。任何一次巨大的创新和进步背后都会有与保守和既得利益群体的角逐，有人支持也必然有人反对。

此外，现实商业社会里的很多弊端也会在我们的生态里出现，假货、知识产权，以及那些试图利用我们的生态系统获得不公平收益的行为。如同今天所有的公司一样，我们必须解决这些棘手的问题，因为即使是建立在互联网上的生态系统也无法不受传统经济问题的影响，我们的生态系统及其参与者是无法从现实世界中分离出来的。处理好这些问题绝对不容易，因为从来就没有一个完美的方案和答案。同时，生态系统不是计划出来的，而是自然演进的，因此阿里巴巴的发展必须随时跟着现实与网络环境的变化而快速变化。

阿里巴巴集团执行主席　马云

2014年9月6日

参考文献

［1］《21 世纪经济报道》:《未完待续：阿里巴巴“控制权”选择题》,《21 世纪经济报道》2014 年 5 月 8 日。

［2］百度百科:《淘宝网》，2014 年 8 月 7 日，见 http：//baike.baidu.com/view/1590.htm ？ fr=aladdin。

［3］陈明星:《中国创业企业失败率高达 70% 以上》,《经济视点报》2006 年 8 月 22 日。

［4］陈伟:《这才是马云》，浙江人民出版社 2011 年版。

［5］冯雷钢:《和马云一起创业》，工人出版社 2008 年版。

［6］东亚经贸新闻:《阿里将在美上市》,《东亚经贸新闻》2014 年 5 月 8 日。

［7］凤凰网:《起底“准首富”马云的第一桶金：六分钟融资 4000 万美元》，2014 年 9 月 9 日，见 http：//tech.ifeng.com/a/40794885_0.shtml。

［8］凤凰网:《马云：保障创始人利益不靠绝对控制权》，2014 年 5 月 22 日，见 http：//finance.ifeng.com/a/12390223_0.shtml。

［9］凤凰网:《真相 80 分第 99 期：从合伙人名单看阿里权力迁移》，2014 年 9 月 7 日，见 http：//finance.ifeng.com/business/special/zhenxiang99/。

［10］凤凰网:《阿里梦碎香港》，2014 年 3 月 16 日，见 http：//tech.ifeng.com/internet/special/alixianggang/。

［11］葛唯尔、关健、戴金鸿:《阿里路演捧场者多　光等电梯就 40 分》,《第一财经日报》2014 年 9 月 10 日。

［12］广天响石阿里巴巴研究中心:《马云说》，中华工商联合出版社 2011 年版。

［13］郭明涛：《马云的人生哲学》，浙江人民出版社 2009 年版。

［14］何学林：《中国企业战略批判》，广东经济出版社 2005 年版。

［15］侯继勇：《对话马云：那些与 WTO 相关的事》，《21 世纪经济报道》2011 年 11 月 19 日。

［16］海华：《马云教典：成就阿里巴巴帝国的 36 个法则》，华中科技大学出版社 2009 年版。

［17］i 黑马：《马云创业过程中的十次失败》，2014 年 9 月 15 日，见 http：//newshtml.iheima.com/145673.html。

［18］金融界：《马云：花别人钱要比花自己的更痛苦》，2011 年 12 月 19 日，见 http：//finance.jrj.com.cn/biz/111611863694-1.shtml。

［19］简六：《马云选人哲学：喜欢 3 流学校　陆兆禧躺着中枪》，《中国企业家》2013 年 3 月。

［20］纪子义：《马云如是说 2》，中国经济出版社 2009 年版。

［21］蒋云清：《马云谈商录》，北京联合出版公司 2011 年版。

［22］金错刀：《马云的创业逻辑》，中信出版社 2012 年版。

［23］金错刀：《马云管理日志》，中信出版社 2009 年版。

［24］李问渠：《马云商道真经》，新世界出版社 2009 年版。

［25］李文勇：《像马云一样创业》，中国青年出版社 2009 年版。

［26］李文库：《赢在创业：选择创业项目的 58 个方向》，中国纺织出版社 2012 年版。

［27］李野新、周俊宏：《马云谈创业》，浙江人民出版社 2009 年版。

［28］李治仪：《小老板的创业经》，北京联合出版公司 2013 年版。

［29］李斌：《马云谈成功：只有持久的激情才是赚钱的》，《京华时报》2013 年 1 月 16 日。

［30］李雪平：《“昙花品牌”速亡揭秘》，2007 年 4 月 5 日，见 http：//www.em-cn.com/Article/2007/151339.shtml。

［31］李松伟：《马云谈淘宝：创业初没客户曾自凑商品造人气》，2010 年 9 月 11 日，见 http：//tech.qq.com/a/000190.htm。

[32] 李芗:《"诺奖女婿" 是关系学思维下的蛋》,《京华时报》2014年10月16日。

[33] 李琳:《专家解析阿里巴巴为何赴美上市》, 2014年9月19日, http://gb.cri.cn/44571/7851s4697942.htm。

[34] 刘晓燕、王亚宁:《马云:中小企业首先要活下去》,《南方都市报》2008年3月6日。

[35] 刘彦:《中国新闻周刊评出十年影响力之商界人物:马云》,《中国新闻周刊》2009年12月。

[36] 刘平、李坚:《创业学:理论与实践》, 清华大学出版社2009年版。

[37] 刘沁玲、陈文华:《创业学》, 北京大学出版社2012年版。

[38] 刘志阳:《创业学》, 格致出版社2008年版。

[39] 刘世英、彭征:《谁认识马云》, 中信出版社2006年版。

[40] 刘世英、彭征明:《马云创业思维》, 经济日报出版社2008年版。

[41] 刘世英:《谁认识马云2:危机中的救赎》, 中国友谊出版公司2012年版。

[42] 刘世英:《马云的坎》, 中华工商联合出版社2012年版。

[43] 刘平:《创业学原理与应用》, 东北财经大学出版社2008年版。

[44] 刘德胜:《马云的财富江湖》, 航空工业出版社2010年版。

[45] 刘世平:《创业要按兴趣去做》,《中国青年报》2007年5月24日。

[46] 刘淳:《阿里巴巴放弃在香港上市》,《重庆晨报》2013年10月11日。

[47] 刘笑嫣:《马云:中国女性是"超级女人"》,《重庆晨报》2014年9月25日。

[48] 黎黎:《成功无捷径:马云创业22律》, 中国纺织出版社2013年版。

［49］龙春华:《马云给年轻人的创业课》，中国三峡出版社 2011 年版。

［50］鲁智:《跟马云学创业理念》，台海出版社 2012 年版。

［51］吕叔春:《马云是这样创业的》，中国城市出版社 2011 年版。

［52］马云:《马云内部讲话》，红旗出版社 2010 年版。

［53］马云等:《CEO 来信》，上海财经大学出版社 2011 年版。

［54］马钧:《马钧品马云》，武汉大学出版社 2008 年版。

［55］马云:《马云：资本永远是舅舅　自己掌握阿里未来》,《中国企业家》2010 年 10 月。

［56］马云:《马云 2012 年 10 月 26 日在“金融博物馆书院读书会”上的发言》，2012 年 10 月 26 日。

［57］马云:《赚钱不是目标　80 后没有资格抱怨》，2012 年 4 月 18 日，见 http：//www.zsnews.cn/Economy/1977152_10.shtml。

［58］马云:《努力面对今天，要给梦想机会》，2010 年 8 月 23 日，见 http：//www.3lian.com/zl/20767.html。

［59］马云:《马云创业故事之一：海博翻译社与义乌鲜花》，2012 年 8 月 6 日，见 http：//nmlabs.net/teach/1331.html。

［60］皮海洲:《阿里选择赴美上市是正确决定》，2014 年 3 月 18 日，见 http：//finance.sina.com.cn/zl/stock/092918537716.shtml.

［61］邱小华:《马云：创业者要谈学会倾听客户的需求》,《市场导报》2010 年 9 月 29 日。

［62］乔木:《柳传志与马云的政治经：在商言商　寻求妥协》,《彭博商业周刊》2013 年 7 月 31 日。

［63］邱小华:《马云：创业者要谈学会倾听客户的需求》,《市场导报》2010 年 9 月 29 日。

［64］乔志峰:《从“钱学森堂侄”到“我校女婿”》，2014 年 10 月 16 日，见 http：//news.163.com/A8LQMH2U00014AEE.html。

［65］任雪峰:《我的成功不是偶然：马云给年轻人的创业课》，中国

画报出版社 2010 年版。

［66］任宪法：《白手创业》，中国经济出版社 2011 年版。

［67］孙燕君：《马云教》，江苏文艺出版社 2008 年版。

［68］孙祺奇：《马云是特例》，中国经济出版社 2012 年版。

［69］搜狐网：《马云创业经：公司就像结婚一样》，2011 年 12 月 26 日，见 http：//bschool.sohu.com/n330245413.shtml。

［70］王育琨：《任正非的别样视野》，《上海证券报》2007 年 11 月 23 日。

［71］王雪靖：《新阿甘式传奇人物——马云》，《第一财经日报》2006 年 1 月 20 日。

［72］王傅雷：《左手马云右手史玉柱》，北京理工大学出版社 2009 年版。

［73］王宇：《马云的人生江湖》，贵州人民出版社 2011 年版。

［74］王珺之：《马云给创业者的忠告》，化学工业出版社 2011 年版。

［75］吴敏：《阿里巴巴放弃在香港上市》，《新京报》2013 年 10 月 11 日。

［76］吴思：《历史上的官商“潜规则”》，2008 年 4 月 21 日，见 http：//www.chinadaily.com.cn/hqzx/content_6632612.htm。

［77］谢鹏、徐庭芳：《马云的“赎身”梦魇》，《南方周末》2013 年 9 月 19 日。

［78］谢残阳：《霸气马云》，中国铁道出版社 2012 年版。

［79］《新华日报》：《阿里巴巴在美路演首局爆棚》，《新华日报》2014 年 9 月 10 日。

［80］肖文健：《马云创业语录》，中国致公出版社 2008 年版。

［81］肖文键：《马云说话之道》，中国华侨出版社 2012 年版。

［82］薛松：《马云忆当年融资难：一家家敲门一家家被拒》，《广州日报》2009 年 9 月 17 日。

［83］杨云鹏：《马云的 24 个工作哲学》，石油工业出版社 2012 年版。

[84] 杨艾祥:《马云创造》,中国发展出版社 2006 年版。

[85] 刁美、李绍钻:《马云教你创业赚大钱》,中国商业出版社 2011 年版。

[86] 袁朝晖:《换只眼睛看马云》,经济日报出版社 2011 年版。

[87] 姚非拉:《漫话马云》,新世纪出版社 2008 年版。

[88] 余在杭:《芝麻开门》,中国时代经济出版社 2007 年版。

[89] 叶一戈:《马云制胜的九种武器》,当代中国出版社 2012 年版。

[90]《赢在中国》项目组:《马云点评创业》,中国民主法制出版社 2007 年版。

[91]《赢在中国》项目组:《俞敏洪创业人生》,中国民主法制出版社 2008 年版。

[92] 元亨利:《像马云一样思考,像李开复一样行动》,中国城市出版社 2011 年版。

[93] 尹晓宇、李颖:《一手抓反腐一手抓治本》,《人民日报·海外版》2014 年 10 月 16 日。

[94]《扬子晚报》:《马云炮轰银行贷款嫌贫爱富》,《扬子晚报》2009 年 9 月 14 日。

[95] 俞伟坚:《马云:特立独行的 IT 狂人》,《理财》2005 年 9 月。

[96] 佚名:《兴趣和爱好是创业的最伟大的基因》,2010 年 12 月 1 日,见 http://blog.sina.com.cn/s/blog_56eb6fe80100meh5.html。

[97] 佚名:《阿里巴巴马云:没钱一样创业》,2009 年 8 月 10 日,见 http://www.wabei.cn/news/200908/262418.html。

[98] 佚名:《企业不要迷信所谓的著名策划人》,2008 年 2 月 13 日,见 http://blog.zhiji.com/blog/readblog_485533.html。

[99] 佚名:《专注战略产业,铸造强大的冲击力》,2008 年 4 月 19 日,见 http://koubei.xooob.com/sp/292068_450748.html。

[100] 佚名:《金刚组》,2010 年 12 月 10 日,见 http://baike.soso.com/v10627212.htm。

［101］佚名:《马云谈创业：先做好，而不是做大》，2011 年 11 月 4 日，见 http：//www.cg01.cn/jiaoliu/ganwu/3435.html。

［102］佚名:《创业技巧：到底是什么“决定成败”》，2006 年 9 月 20 日，见 http：//www.jxgdw.com/jxgd/jxcy/cysc/cyxd/userobject1ai673278.html。

［103］佚名:《马云：一人管员工最多 7 个》，2008 年 3 月 10 日，见 http：//www.epjob88.com/ViewArticle.php？id=13684。

［104］佚名:《阿里巴巴马云：困境记三事，客户依旧第一》，2009 年 11 月 18 日，见 http：//club.china.alibaba.com/forum/thread/view/110_26907586_r98396625.html。

［105］佚名:《不要过分依赖政府和银行》，2011 年 12 月 18 日，见 http：//www.cnwnews.com/html/chuangye/cn_cykt/393577.html。

［106］佚名:《马云讲创业的三个原则》，2008 年 2 月 29 日，见 http：//www.cn08.net/html/cyebd/200802/7083.html。

［107］佚名:《马云：不能在资本层面稀释掉对企业的操纵权》，2011 年 12 月 14 日，见 http：//www.asiafinance.cn/news/asia0000051797.shtml。

［108］佚名:《阿里巴巴合伙人制度》，2013 年 10 月 21 日，见 http：//snap.windin.com/ns/findsnap.php？ad=0&sitetype=1&sourcetype=1&id=211511124。

［109］佚名:《阿里巴巴合伙人制度（名单）的前世今生解读》，2014 年 6 月 19 日，见 http：//www.ebrun.com/102132.shtml。

［110］赵文锴:《马云创业真经》，中国经济出版社 2011 年版。

［111］朱乘尧:《马云创业启示录》，人民邮电出版社 2010 年版。

［112］朱甫:《马云如是说》，中国经济出版社 2008 年版。

［113］朱甫:《马云管理思想大全集（超值白金版）》，海天出版社 2011 年版。

［114］朱甫:《马云谈创业》，海天出版社 2008 年版。

［115］张炜、田茂利:《创业学》，浙江大学出版社 2011 年版。

［116］张文松、裘晓东、陈永东:《创业学》，机械工业出版社 2012

年版。

[117] 张玉利：《创业管理（第2版）》，机械工业出版社2011年版。

[118] 张刚：《马云十年》，中信出版社2009年版。

[119] 张永生：《马云向左史玉柱向右》，中国言实出版社2008年版。

[120] 张镦亓：《像马云一样说话》，江苏文艺出版社2011年版。

[121] 张勇、闫秋芹：《天天遇见马云》，清华大学出版社2009年版。

[122] 张绪旺：《"创业教父"马云指点迷津：创意要随市场而动》，《北京商报》2010年6月30日。

[123] 张绪旺：《马云：小企业不要急着圈钱》，《北京商报》2010年6月2日。

[124] 张倩怡：《阿里巴巴启动赴美上市》，《北京日报》2014年3月17日。

[125] 张丽华：《阿里巴巴正式赴美上市》，《杭州日报》2014年5月8日。

[126] 张遥、章苒：《阿里巴巴赴美上市前景如何》，2014年5月7日，见http：//news.xinhuanet.com/tech/c_126473227.htm。

[127] 中央电视台财经频道《商道·对手》栏目：《创业：我们的故事》，北京出版社2011年版。

[128]《中国青年报》：《马云谈离沪初衷：回杭州能得到更多重视》，《中国青年报》2008年3月3日。

[129] 中国新闻网：《马云：中小企业首先要活下去 借次贷危机重新洗牌》，2008年3月17日，见http：//www.chinanews.com/it/hlwxw/news/1194378.shtml。

[130]《中国建材报》：《门窗幕墙企业存隐患切忌盲目扩大规模》，《中国建材报》2011年8月9日。

[131] 朱剑平、王春：《亚星化学山东海龙陨落大股东"抽血"不断》，《上海证券报》2012年9月25日。

[132] 周锡冰：《马云教你创业》，中国经济出版社2009年版。

后　记

事实证明，对于任何一个创业者而言，创业都是一个非常艰难的过程。创业者往往都非常辛苦，还可能会遭遇诸多挫折，甚至可能会遭遇创业失败。要想创业成功，不仅需要创业者具备良好的创业心态，而且还需要时刻激励自己，永不放弃。

最新的一项研究报告显示，中国的创业活动正处于活跃状态，新一轮的创业高潮正在形成。不可否认的是，创业成败，固然与企业本身的因素息息相关，但是，创业环境的好坏也在很大程度上起决定性作用。

创业最好的时代，主要是指那些准备充分、思维敏锐的创业者，而最坏的时代主要指在商品经济大潮的冲击下，许多创业者尽管创业热情很高，但由于毫无准备，结果不是因投资失误，就是管理不善而步履维艰，甚至惨遭淘汰。

对此，马云在中央电视台财经频道《赢在中国》栏目告诫创业者："面对各种无法控制的变化，真正的创业者必须懂得用乐观和主动的心态去拥抱。当然，变化往往是痛苦的，但机会却往往在适应变化的痛苦中获得。这么多年来，我已经历了很多的痛苦，所以我不在乎后面更多的痛苦，反正来一个我灭一个。"

客观地讲，如今的马云，已经功成身退，可以说是一部活的创业史。在马云这部创业史中，不仅体现了马云的创业精神、战略、企业家修为等，而且还能读到马云在经营理念、产品定位、融资方略、客户关系管理、人才使用与培养等企业经营的创业经验。

如今，50万元注册资本的阿里巴巴，已经长大成为一家世界瞩目的电子商务公司。仅仅在2014年11月11日，天猫“双十一”交易额突破571亿元。其中，开场第一分钟交易83万笔，零时3分交易额突破10亿，38分28秒冲到100亿，其中无线占比45.5%。数据显示，本次“双十一”天猫国际共有217个国家和地区成交，其中，中国香港、俄罗斯、美国是除中国大陆外消费额最高的地区。这都离不开马云的执着梦想、智慧和魄力。

本书的定位是企业教育、培训员工的教材，年轻人、白领人士的励志读物，创业者、管理者的行动指南；成功者、领导者的决策参考……因此，作为这个时代草根创业的代表人物，以及继续在创业路上的先行者——马云的企业经营论断或许不能直接给创业者带来成功，却能给予创业者一个提示、一个视角、一个忠告、一个鼓励，告诉所有创业中的人们，创业其实有很多误区，需要创业者自己去反省和规避。

任何一本书的写作，都是建立在许许多多人的研究成果的基础之上的。在写作过程中，我参阅了相关资料，包括电视、图书、网络、视频、报纸、杂志等资料，所参考的文献，凡属专门引述的，我们尽可能地注明了出处，其他情况则在书后附注的“参考文献”中列出，在此向有关文献的作者表示衷心的谢意！如有疏漏之处还望原谅。

本书在出版过程中得到了许多教授、研究马云创业经验的专家、业内人士，以及出版社的编辑等的大力支持和热心帮助，在此表示衷心的谢意。由于时间仓促，书中纰漏难免，欢迎读者批评指正（E-mail：zhouyusi@sina.com）。

周锡冰

2014年11月28日于北京